ZHONGGUO ERTONG BAIKE QUANSHU

中国儿童百科全书

上学就看

文体馆

中国大百科全书出版社

图书在版编目（CIP）数据

文体馆／《中国儿童百科全书．上学就看》编委会
编．－北京：中国大百科全书出版社，2006.3
（中国儿童百科全书．上学就看）
ISBN 7-5000-7445-X

Ⅰ.文... Ⅱ.中... Ⅲ.①文艺－儿童读物②体
育－儿童读物 Ⅳ.① I0-49 ② G8-49
中国版本图书馆 CIP 数据核字（2006）第 013339 号

中国儿童百科全书·上学就看
文体馆

中国大百科全书出版社出版发行

（北京阜成门北大街17号 电话 68363547 邮政编码 100037）

http://www.ecph.com.cn

北京国彩印刷有限公司印刷

新华书店经销

开本：635×965毫米 1/12 印张：6.5

2006年3月第1版 2006年5月第2次印刷

印数：20001～40000

ISBN 7-5000-7445-X

全套定价：120.00元 本册定价：12.50元

作 者

文字撰稿
（以姓氏笔画为序）

马光复	马 睿	卢小平	朱绍和	孙衍慧	李光夏
余传生	宋 时	陈东明	张如亮	林晓燕	庞 云
荣瑞芬	贺晓兴	夏 青	钱王驷	徐 冲	高建强
唐 骅	温学诗	薄 芯			

图片提供
（以姓氏笔画为序）

丁长青	王 丽	王雅倩	王瑞林	卜小勤	田 方
白 宇	冯幼平	孙江漪	朱菱艳	刘玉琇	刘亚茹
刘 峥	关庆维	许 阳	杜 婕	李光夏	李建新
李锦河	李 燕	杨宝忠	吴小枚	吴秀山	位梦华
余传生	陈东明	张文绪	张文瑞	张丽霞	张连城
张渝秦	张 强	郑 迅	赵秀琴	赵彤杰	赵建伟
洪 珊	贺晓兴	袁 立	袁学军	徐远志	高建强
唐 骅	龚 莉	常剑波	蒋和平	程力华	温学诗

电脑制作

曹映红	张 强	蒋和平	杨宝忠	席恒青	高建强
杨 晨					

绘 图

杨宝忠	张 强	蒋和平	高建强	席恒青	陈 倩
曹映红	陈 璐	熊雅竹			

卡通形象设计

张 强

这是一套有趣的书，

这是一套好玩的书，

这是一套有用的书，

这里有你所不知道的世界。

看了这套书，

你应该感谢你的父母，

你应该感谢编书的老师，

更应该感谢创造灿烂文明的前人。

从这里继续往前走，

你将创造更加美好的未来。

余心言

你的书你来看

小朋友，这套儿童百科全书，是专门为你们学知识、长见识编写的。它共有4本，可以带你到8个地方去玩，边玩边学。这8个地方是："中国家园"、"世界公园"、"地球村"、"太空馆"、"动物园"、"植物园"、"科学宫"和"文体馆"。

汉语拼音能帮助你认识更多的汉字，知识主题、概述、知识点标题及难认的文字都加注了拼音。

知识点

每个知识主题下一般有3～8个知识点。每个知识点向你介绍一个小知识，把一个个知识点连起来，你就有了大学问。《文体馆》里有知识点120个。

我妙妙会在书里扮演不同的角色哦！

答案条

知识主题

为了让小朋友们玩有长进，学有系统，我们在知识门类里选取了一个个知识主题。一般来说，每个展开页的标题就是一个知识主题。每个展开页围绕一个知识主题进行说明介绍。《文体馆》中的知识主题有32个。

知识门类

为了让小朋友们认知方便，我们把相关的知识归到一起，形成一个个知识门类。《文体馆》里的知识门类有4个：语言文学、影视剧、美术、体育。

这是成语bag，里面装着一个成语。你可以请教爸爸妈妈或自己去查，了解这个成语的典故和用法，学会使用这个成语。这套书里共有329个成语。

这是英语box，里面装着一句与本页内容相关的英语。中文译文在左边的答案条里。

这是问题basket，里面装着一个与本页内容相关的问题。想验证自己的答案吗？左边的答案条里有。

图片

每个展开页上有5～20幅图片，其中1～2幅是主图，其他是辅图。这些图片可以让小读者直观形象地学习和理解知识。

成语bag
假戏真做

The shooting of films should choose suitable sites.

电影的后期制作要经过哪些环节？

用电脑制作的虚拟场景

外星人是影片中的角色之一

hòu qī zhì zuò
后期制作
将拍好的分镜头胶片进行冲洗、剪接，再进行录合成，制成一部完整的影胶片，然后印制拷贝，供放时使用。后期制作也要在导演的指导下进行。

演员全副武装投入表演

后期制作时，电脑可以把卡通人物和真实人物合成在一起。

What什么叫分镜头？
一部电影要由很多个镜头组成，导演在拍摄影片时，要一个镜头一个镜头去分别拍摄，每一个镜头就叫做分镜头。

化妆师在现场为演员化妆

23

跟着我奇奇到文体馆里去长长见识！

6W
把一些有意思的小知识、小问题，归到6W（when where who what why how）中进行说明。

图注用来说明图中的内容

中国儿童百科全书·上学就看

文体馆

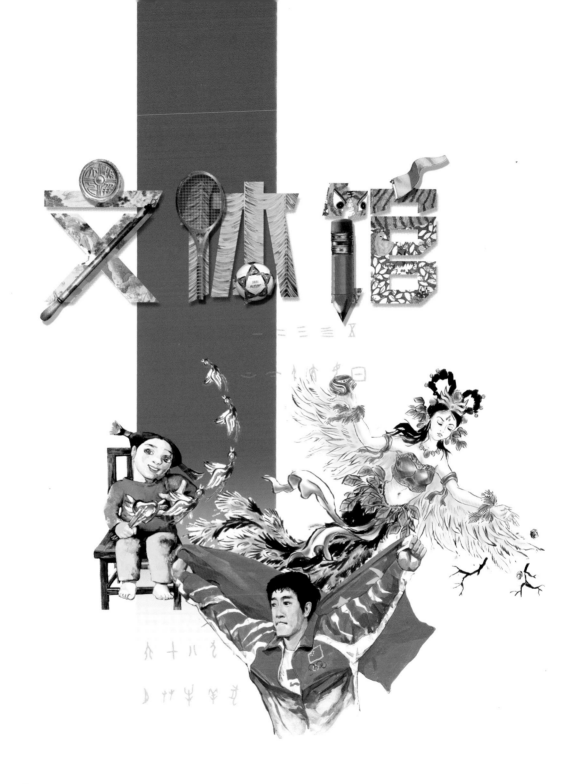

文体馆

原始人狩猎找不到
同伴时大声呼喊

语言
yǔ yán

yǔ yán shì rén lèi hù xiāng jiāo liú de
语言是人类互相交流的

gōng jù　rén men tōng guò kǒu tóu yǔ yán hé shū
工具。人们通过口头语言和书

miàn yǔ yán lái biǎo dá xiǎng fǎ hé yì yuàn
面语言来表达想法和意愿，

chuán dì xìn xī　jiāo liú sī xiǎng
传递信息，交流思想。

成语bag
言而有信

原始人用手势
进行物品交换

打到猎物时，发出声
音表达喜悦和欢快。

劳动产生语言
láo dòng chǎn shēng yǔ yán

　　原始人在狩(shòu)猎和共同劳作中，
需要互相配合，有分工有合作，于是，语
言随着劳动的需要产生了。从简单的呼
喊到复杂细微的表述，语言经历了漫长
的进化过程。

A　B　C　D

E　F　G　H

聋哑人用手势表示英语字母

哑语怎么说？

A 口型　B 手势
C 用笔写

哑语
yǎ yǔ

　　哑语是为聋哑人设计使用的语言，不用声
音，而用规定的手势、表情和动作表达意思。每
一个手势和动作都有特定的含义，使用哑语的人
要学会哑语手势，才能互相交流。

答案：B　问题basket：有阴平、阳平、上声、去声4种　英语box：人们用语言进行交际。

dā dá dǎ dà

英语box

Human beings communicate with languages.

问题basket

北京话的声调有哪几种？

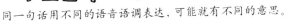

同一句话用不同的语音语调表达，可能就有不同的意思。

yǔ yīn hé yǔ diào
语音和语调

　　语言有很多种，每一种语言都有语音、语调。语音是人说话的声音，语调是人说话的腔调。汉语语音语调包括元音、辅音、声调、重音以及节奏和音变等。

印度舞蹈中用身体动作表达情感

欢快的等待

zhī tǐ yǔ yán
肢体语言

　　哑剧、舞蹈都是不出声的艺术，演员通过肢体动作来表达艺术内容，我们把这些动作称作肢体语言。

劳动的喜悦

美好的遐想

 A 请注意！
我们有水手
下水了

 B 我船正在
装载或卸下
危险物品

 C 是！

 D 注意！
我船发生
操作障碍

 E 我船正
将航向转
向右舷

 F 我船受
损，请与我
联系。

 G 我船需
要引航员

qí yǔ
旗语

　　借助不同图案的小旗子，加上规定的举旗、摆旗动作，传达语言信号。也能进行信息交流，这种交流"语言"称作旗语。常用在机场地对空、海军舰艇相互之间的联络上。

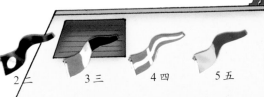

0 零　　1 一　　2 二　　3 三　　4 四　　5 五

一 二 三 三 区 介 十 八 ? |
一 二 三 四 五 六 七 八 九 十

一 一 ? ? ? 日 ? ? ? ?
上 下 人 大 女 日 月 草 牛 羊

jiǎ gǔ wén
甲骨文

甲骨文是中国最古老的文字，刻在龟甲兽骨上，最初用来占卜。甲骨文大约有4500个单字，基本词汇、基本语法与现在的汉字是一致的。

🎒成语bag
文如其人

刻在动物骨头上的文字

刻在青铜器上的文字

刻在砖瓦上的文字

wén zì
文字

wén zì shì jì lù hé chuán dá yǔ yán de fú hào
文字是记录和传达语言的符号，
měi yì zhǒng wén zì dōu yǒu yīn xíng yì tōng guò wén zì
每一种文字都有音形义。通过文字，
wǒ men kě yǐ chuān guò shí kōng liǎo jiě hěn jiǔ yǐ qián fā
我们可以穿过时空，了解很久以前发
shēng de shì   yě kě yǐ ràng yǐ hòu de rén zhī dào wǒ men
生的事，也可以让以后的人知道我们
zhèng zài zuò de shì
正在做的事。

云南傣族使用的拼音文字

英文是一种国际上广泛使用的字母文字

用傣族文字书写的《贝叶经》

zì mǔ wén zì
字母文字

字母文字也叫拼音文字，是文字发展的新阶段，仅用几十个字母就可以组合成千千万万个词或词组，记录和表达各种复杂的语句。中国少数民族的字母文字很有特色，而拉丁字母是传播最广的字母文字，世界上很多字母文字以拉丁字母为基础，比如汉语拼音字母、英语字母、法语字母等。

篆书			
隶书			
草书			
楷书			

篆书
隶书
草书
楷书

点横竖撇捺折是
汉字的基本笔画

方块的汉字有的
是独体字,有的是
合体字。独体字多
由图画式的象形
字演变而来;合体
字是以独体字为
基础构成的。

 英语box

English is an alphabetic language.

问题basket

汉字的基本笔画有哪些?

fāng kuài hàn zì
方块汉字

　　汉字是用点横竖撇捺折等笔画写成的方块体
字。一字一音(或多音)一义(或多义)。汉字的
字体经历了篆(zhuàn)书、隶书、草书、行书、楷
书等演变过程,形成了独具魅力的书法艺术。

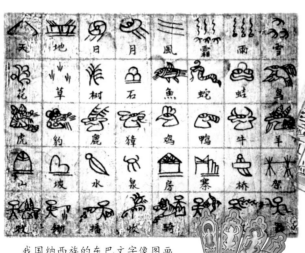

我国纳西族的东巴文字像图画

古代埃及的象形文字

猜猜这几个东巴文字的意思

A　　B　　C　　D

tú xíng wén zì
图形文字

　　文字起源于图画。埃及早期的
文字大都是图形符号,用在碑铭
上。中国有些少数民族的文字也是
图形文字,比如纳西族的东巴文,
书写起来就像一幅画。

5

shén huà
神话

yuǎn gǔ shí dài   rén lèi duì zì rán de rèn
远古时代，人类对自然的认

shí néng lì dī xià   wèi shén me huì xià yǔ
识能力低下。为什么会下雨？

wèi shén me huì guā fēng   rén men bù néng zhǎo dào
为什么会刮风？人们不能找到

kē xué de jiě shì   suǒ yǐ jiù xiǎng xiàng chū yí
科学的解释，所以就想 像出一

gè shén de shì jiè   chuàng zào chū xǔ duō shén
个神的世界，创 造出许多神

de gù shi   xíng chéng le shén huà
的故事，形 成了神话。

🧧 成语bag
神来之笔

精卫用石块和树
枝填入东海

fàn tiān de gù shi
梵天的故事

在印度神话中，宇宙万物之
祖梵天从金色蛋中诞生，他创造
了天地，确定了南北东西。他干累
了去休息，把管理宇宙的事情交
给弟弟阿修罗。阿修罗接管宇宙
后，骄横贪财，作恶多端，于是雷
神因陀(tuó)罗除掉了他。

阿修罗是个做
坏事的恶神

jīng wèi tián hǎi
精卫填海

精卫填海是中国有名的神话故事。炎帝的
女儿是个漂亮女子，在东海里淹死后变为一只
鸟，名叫"精卫"。它每天从西山衔(xián)来石
块、树枝投入东海，发誓要填平东海。

因陀罗是代表正
义的神，他正在
与阿修罗战斗。

创造了天地以后，
梵天在休息。

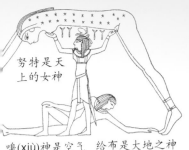

努特是天上的女神

嗅(xiù)神是空气之神（站立者）　给布是大地之神　阿蒙是众神之王　奥西里斯是阴间的统治者　伊西斯是奥西里斯的妻子　赫拉斯是长着鹰头的男神　赫色是赫拉斯的妻子

贝斯是婚姻、舞蹈、音乐之神

阿努比斯是死者的守护神　图特是智慧之神

āi jí de shén
埃及的 神

　　埃及的神是埃及神话中的主角。埃及人认为，埃及的神不仅掌管人世间的事务，还掌管人死后阴间的各种事务，法力无边。

问题basket

奥林波斯诸神之首是谁？

哈哈！我小爱神射谁好呢？

ào lín bō sī zhū shén
奥林波斯诸 神

　　希腊神话里的奥林波斯诸神名气很大。有关这些神的故事中，描述了天地起源、一年四季、城邦演变等自然和社会的现象。希腊神话是欧洲文学的源头，影响到罗马文学，流传到世界各地。

阿佛洛狄忒（罗马名叫维纳斯）是爱与美的女神

赫耳墨斯是商业之神，也是宙斯的信使。

德墨忒耳是农业女神

赫斯提亚是炉灶之神

波塞冬是海洋之神

雅典娜是智慧、艺术和正义战争的女神

赫拉是宙斯的妻子、家庭和婚姻的保护神

宙斯是奥林波斯诸神之首，掌管雷电。

阿波罗是光明与音乐之神.掌管医药、畜牧、诗歌、音乐等事务。

赫菲斯托斯是火与技艺之神

阿瑞斯是战争之神

阿耳忒弥斯是月夜、森林和狩猎女神

yī suǒ yù yán
《伊索寓言》

伊索是公元前6世纪的希腊人。《伊索寓言》是后人收集的古代寓言故事，假托在伊索名下。《伊索寓言》大多是动物的故事，如《狼和小羊》、《农夫和蛇》、《肚胀的狐狸》，都是通过讲述动物的故事，说明人生的道理。

《农夫和蛇》中农夫好心救了冻僵的蛇反被蛇咬，说明恶人的本性难改。

yù yán
寓言

《狐狸和仙鹤》讲的是狐狸用盘子请仙鹤喝汤，得到的报复是仙鹤用细嘴瓶请它吃肉。

hán yǒu jiào xùn yì yì de jiǎn dān gù shì jiào zuò yù yán　yù yán de qíng jié hěn jiǎn
含有教训意义的简单故事叫做寓言。寓言的情节很简
dān　zhǔ rén gōng yǒu de shì rén　yǒu de shì dòng wù　tōng guò miáo shù tā men suǒ jīng
单，主人公有的是人，有的是动物，通过描述他们所经
lì de jiǎn dān gù shì　shuō míng yí gè shēn kè de dào li
历的简单故事，说明一个深刻的道理。

《宋人揠苗》讲的是宋人为求庄稼快长而拔苗，结果庄稼全死掉的故事。说明客观规律不能违背。

《守株待兔》讲的是一个人偶尔在树下碰见一只兔子撞死，捡了便宜，便守在这棵树下天天等候，结果空等了一辈子。

kè léi luò fū yù yán
克雷洛夫寓言

克雷洛夫是俄国的寓言作家,他写有203篇寓言故事。《青蛙和犍牛》、《橡树和芦苇》、《四重奏》都是很有教育意义的名篇。

lā fēng dān de yù yán shī
拉封丹的《寓言诗》

拉封丹是17世纪的法国诗人,《寓言诗》是他的代表作。人和动物在《寓言诗》里组成了一个现实世界,其中《乌鸦和狐狸》、《兔子和乌龟》、《狐狸和仙鹤》等篇已家喻户晓。

《四重奏》讲的是猴子、山羊、驴子和熊准备来一个伟大的四重奏,结果却各拉各的调,合奏不到一起。

zhōng guó gǔ dài yù yán
中国古代寓言

春秋战国时期,寓言故事很流行,《宋人揠(yà)苗》、《郑人买履(lǚ)》、《守株待兔》、《刻舟求剑》等,都是很有讽喻和教训意义的寓言。以后历代都有寓言佳篇问世。

《刻舟求剑》讲的是一个人在水上乘船时掉下一把剑,就在船上刻下记号,以求找到剑,结果自然是找不到的。

《郑人买履》讲的是郑人买鞋子只知道用尺子量,而忘记用脚试的故事。

shī gē 诗歌

"风"大部分是民歌，描写了很多劳动场景。

"雅"是周王朝的正声雅乐

"颂"是宗庙祭祀的舞曲歌辞

shī gē shì yì zhǒng wén xué tǐ cái yǔ
诗歌是一种 文学体裁，语
yán yā yùn jīng liàn fù yǒu jié zòu gǎn hé tiào
言押韵、精练，富有节奏感和跳
yuè xìng shī gē chuàng zuò de zhǔ guān xìng hěn
跃性。诗歌 创 作的主观 性 很
qiáng zhuī qiú yán yǒu jìn ér yì wú qióng de
强，追求"言有尽而意无穷"的
jìng jiè biǎo dá shī rén de qíng huái
境界，表达诗人的情 怀。

shī yán zhì shī yuán qíng 诗言志诗缘 情

诗歌以抒情言志为特色，无论中国还是外国，都注重诗歌抒发诗人主观情志的特点。抒情诗，顾名思义以抒情为诗，即便是叙事诗，也带有很强的抒情性。

《shī jīng 诗经》

《诗经》是中国最早的诗歌总集，收集了西周初期至春秋中叶的305首诗。按照体例分"风""雅""颂"三类，"风"大部分是民歌，有160篇；"雅"是周王朝的正声雅乐，有105篇；"颂"是宗庙祭祀的舞曲歌辞，有40篇。

成语bag

七步成诗

李白是中国唐代的大诗人，他为人豪放、洒脱，写过不少激情洋溢的名篇佳句。

杜甫是中国唐代的大诗人，他忧国忧民，写了不少感伤时事的诗。

陆游是中国南宋时期的爱国诗人

ér gē
儿歌

　　儿童口头传唱的歌谣叫儿歌。大多是成人根据儿童的认识能力、心理特点，用简明形象、琅(láng)琅上口的韵语写成，并在儿童中间传唱。也有一些儿歌是儿童在游戏时随口编唱的。

你拍一，我拍一，
尊敬师长要牢记。

shí sì háng shī
十四行诗

　　十四行诗是按照一定韵律写成的抒情诗，流行于欧洲各国。英国的戏剧家莎士比亚写过154首十四行诗，深为读者所喜爱。

英语box

The language of poem is very succinct.

问题basket

"床前明月光……"这首诗是谁写的？

莎士比亚的十四行诗写得情意绵绵

Why诗歌为什么好记好背？
　　每个人都能背出几首诗来，这是因为诗歌一般都简短押韵，琅琅上口，容易记忆，所以只要多念几遍，就自然而然记住了。

辛弃疾是中国南宋时期的武将，写出的词多是关于征战的，风格豪放洒脱。

李清照是宋代女词人，战乱改变了她的生活，她留有很多情真意切的词作。

táng shī sòng cí
唐诗宋词

　　中国的唐宋时期是诗歌发展的高峰时期。唐代的诗、宋代的词都讲究韵律，取得了很高的成就。李白、杜甫、白居易的诗千古留名，苏轼、辛弃疾、陆游、李清照的词各有千秋。

苏轼是北宋时期的大诗人、大词人，他的诗词传情达意，风格独特。

桑丘·潘沙是个矮胖的仆人，他跟着瘦瘦高高的主人堂·吉诃德，经历了很多危难。

小说 xiǎo shuō

tōng guò jiǎng shù rén wù de gù shì fǎn yìng shēng huó shì xiǎo
通过讲述人物的故事反映生活，是小

shuō de jī běn tè zhēng àn zhào piān fú kě yǐ fēn wéi cháng piān xiǎo
说的基本特征。按照篇幅可以分为长篇小

shuō zhōng piān xiǎo shuō duǎn piān xiǎo shuō àn zhào nèi róng kě yǐ
说、中篇小说、短篇小说。按照内容可以

fēn wéi lì shǐ xiǎo shuō wǔ xiá xiǎo shuō yán qíng xiǎo shuō tuī lǐ
分为历史小说、武侠小说、言情小说、推理

xiǎo shuō qí shì xiǎo shuō liú làng hàn xiǎo shuō děng duō zhǒng
小说、骑士小说、流浪汉小说等多种。

《堂·吉诃德》 táng jí hē dé

这部长篇小说的作者是西班牙人，叫塞万提斯。小说描述了主人公堂·吉诃德看了很多中世纪骑士的书、一心要当个行侠仗义的骑士的故事。堂·吉诃德穿上破旧的铠甲，骑上家里的瘦马，出发去当骑士，结果在现实中到处碰壁。

《红楼梦》 hóng lóu mèng

这部长篇小说是中国古典名著，作者是清代的曹雪芹。小说描写了贾宝玉、林黛(dài)玉、薛宝钗(chāi)之间的爱情婚姻悲剧，以及贾、史、王、薛四个封建大家庭的兴衰。

贾宝玉是《红楼梦》的中心人物，他追求个性自由，与林黛玉真心相爱。

林黛玉是《红楼梦》的主要人物，她博览群书，才思敏捷，多愁善感，体弱多病。

请连线 谁写的书?
① 《三国演义》　A 施耐庵(ān)
② 《水浒传》　　B 曹雪芹
③ 《西游记》　　C 罗贯中
④ 《红楼梦》　　D 吴承恩

答案：①C ②A ③D ④B　问题 basket：武侠小说　英语 box：小说讲述人物的故事。

xī yóu jì
《西游记》

这部长篇小说是中国古典名著，作者是明代的吴承恩。小说描写了孙悟空、猪八戒、沙僧保护唐僧西天取经、杀妖斩魔、历尽艰辛、终成正果的故事。

孙悟空是《西游记》的主要人物，他火眼金睛，力大无穷，身形会七十二变。跟随唐僧取经的一路上，他降妖除魔，屡立功劳。

英语box

Novels narrate the stories of people.

问题basket

描写侠客义士行侠仗义的小说属于哪类小说？

成语bag

跃然纸上

唐僧是师傅，一心去西天取回真经。

hā lì bō tè
《哈利·波特》

这部长篇小说是英国女作家J.K.罗琳的作品。小说描写了主人公哈利·波特和他的伙伴们在魔法学校里勇敢冒险的经历。

《哈利·波特》的中文译本已经出版了5本

猪八戒是个有缺点的好人，善良忠厚，但又贪吃胆小。

沙僧是个忠实可靠的徒弟

《海的女儿》

《丑小鸭》

安徒生像

《皇帝的新衣》讲的是皇帝不穿衣服满街走，一帮大臣阿谀(ēyú)奉承夸他衣服美的荒唐故事。

ān tú shēng tóng huà
安徒生童话

安徒生是丹麦一个鞋匠的儿子,他写的童话小朋友都喜欢看。《卖火柴的小女孩》中穷苦人的悲惨生活催人泪下,《皇帝的新衣》中愚蠢昏庸的皇帝让人笑破肚皮,《海的女儿》、《丑小鸭》、《豌豆公主》等都有美好深刻的教育意义。

tóng huà
童话

tóng xīn tóng yǔ   jiǎng shù shì hé ér tóng xīn lǐ hé qù
童心童语，讲述适合儿童心理和趣
wèi de gù shi   jiào zuò tóng huà   tóng huà jiāo hái zi men dǒng
味的故事，叫做童话。童话教孩子们懂
dé zhēn shàn měi   péi yǎng liáng hǎo de dào dé qíng cāo   fēng fù
得真善美，培养良好的道德情操。丰富
de xiǎng xiàng   dà dǎn de kuā zhāng   nǐ rén huà de biǎo xiàn shǒu
的想像、大胆的夸张、拟人化的表现手
fǎ   shì tóng huà de zhǔ yào tè zhēng
法，是童话的主要特征。

《灰姑娘》中的灰姑娘打扮成美丽的公主，与王子跳舞。她匆忙离去时掉下了一只水晶鞋。

以下人物出现在哪部作品中？

①小人鱼　　　A《白雪公主》
②七个小矮人　B《大林和小林》
③唧唧　　　　C《海的女儿》

成语bag
妙笔生花

答案：①C ②A ③B

14

叶圣陶的《稻草人》
yè shèng táo de dào cǎo rén

《稻草人》是现代文学作家叶圣陶写的童话，比较严肃，反映现实。《稻草人》用路边站立的稻草人的眼睛，去看天灾人祸给农民带来的苦难，最后稻草人伤心地倒下去了。

稻草人看尽了人间的苦难

薔薇(qiángwēi)公主

叭哈把大林认作儿子

绅士狗皮皮

王子

英语box

Children of all over the world listen to fairy tales.

问题basket

《宝葫芦的秘密》是谁的作品?

大林做了唧(jī)唧

包包小姐

鳄(è)鱼小姐

小林和乔乔为四四格准备早饭

四四格是个坏家伙

张天翼的《大林和小林》
zhāng tiān yì de dà lín hé xiǎo lín

张天翼是中国现代儿童文学作家，写了不少优秀作品。《大林和小林》、《宝葫芦的秘密》都出自他的笔下。《大林和小林》用对比的方法，写出了大林好逸恶(wù)劳、自取毁灭而小林正直善良、走上正道的不同结局。

格林童话
gé lín tóng huà

德国的格林两兄弟（雅科布·格林和威廉·格林）志同道合，收集并整理出版童话故事。其中的《白雪公主》、《小红帽》、《灰姑娘》等经典作品，受到全世界小朋友的喜爱。

格林兄弟塑像

《白雪公主》中的恶毒皇后扮成老太婆，把有毒的苹果送给白雪公主。

《小红帽》中的小红帽是个单纯善良的小女孩，没能一下看穿狼的骗人把戏。

戏剧的起源

戏剧是由演员扮演角色，模仿自然和生活中的情节、故事，表演给人看的一种艺术。它是由远古时期人对神祭拜的仪式演变而来。

刻在岩壁上的人物用各种舞蹈动作表现出劳动的场景

绘有舞蹈人物的彩陶，其人物动作富有节奏感和装饰性，具有了早期戏剧的元素。

戏剧的出现

远古时期的人对自然灾害十分恐惧，产生了要控制自然的愿望。于是，便以一定的仪式向神祭拜，请求神的帮助。人们模仿这种仪式进行表演，就有了最初的戏剧。

生活入戏

随着社会的发展，人们把生活中发生的事情编成故事，由演员表演给观众看，这样戏剧中就出现了生活中的人物。戏剧反映生活，生活是戏剧的源泉。

树神披挂着绿色的树枝树叶

被人祭祀（sì）的神是由人扮演的

花神的装束花团锦簇（cù），艳丽夸张。

祭祀的牲畜

受人尊敬的长者和善良温柔的母亲无论在生活中还是戏剧中都是正面的角色

人们把丰收的水果、谷物奉献给神

拿石头磨制的镜子
当做闪电的道具

人们惊恐地
呼喊着："雷
神来啦，闪电
神来啦，快躲
起来吧！"

扮闪电之神
的多为美丽
健壮的女性

Theatre comes from so-cial life.

闪电之神是由什么人扮
演的？

用兽皮和树干
制成的鼓敲打
出"雷声"

成语bag

拿手好戏

原始的戏剧场景

zì rán rù xì
自然人戏

　　人们对自然万物的模仿，带有
很强的主观想像。鲜花、树木、云、
雨等都可以由人来扮演。表演自然
现象在戏剧的早期占有重要的
位置。

扮雷神的多是粗
壮有力的男人

排戏

pái xì

戏剧在正式演出之前，要经过精心的排练。排练的依据是剧本，主导人物是导演。演员根据剧本的内容和导演的提示，加上自己对人物的理解，来表演剧中的角色。

化装

huà zhuāng

演员要根据剧中人物特点进行化装。有的化装是在脸部做一些夸张的色彩描绘，以使表演者的表情更具戏剧性；有的化装则集中在服饰的装束上。

服装和道具

fú zhuāng hé dào jù

服装是演员演出时，根据角色需要穿戴的服饰。戏剧服装一般带有夸张意味。道具是演戏时的辅助用品，种类很多，可以是演员手拿的器物，也可以是舞台上的一件摆设。

用模型搭建的布景富有童趣和诗意

老猫要把胡子粘上，这是化装的一部分。

这把扇子是演员的道具

这是儿童剧《马兰花》的演员正在排戏。《马兰花》讲述的是勇敢的青年马郎与王老爹的女儿小兰、大兰之间的事情。一朵神奇的马兰花串起了整个故事。

演员为什么要能哭能笑？

因为演员要表演出生活中的喜怒哀乐。

舞台顶部的灯光为布景增添了梦幻气氛

英语box

The actors may act different roles in a rehearsal.

挑选演员、指导演员排戏的人叫什么？

小语bag

惟妙惟肖

演员上台前要把台词记住背熟

这个葫芦是小兔演员的道具

演员排练
yǎn yuán pái liàn

戏剧中的人物称角色，由演员来扮演。为了在台上演出成功，演员在排戏时，要反复地体会、练习，以求把角色演得像。

演员根据扮演的不同角色进行化装

导演说戏
dǎo yǎn shuō xì

组织和指导演员把戏剧演得好看的人叫导演。导演是排戏的中心人物，演员要经他（她）挑选，排戏时听他的意见。一般他并不出场担当角色。

导演正在为演员说戏

扮演松树公公的演员正在排戏

19

xì jù yǎn chū
戏剧演出

xì jù shì zài wǔ tái shàng yǎn gěi rén
戏剧是在舞台上演给人

kàn de   yǎn yuán zài tái shàng yǎn   guān zhòng
看的。演员在台上演，观众

zài tái xià kàn   dēng guāng   bù jǐng dōu shì
在台下看，灯光、布景都是

wèi yǎn chū de jù qíng fú wù de
为演出的剧情服务的。

侧灯从舞台
侧面给光

guān zhòng
观众

演出时，观众坐在座位上观看。一般剧场的观众席建成斜坡的，后面要比前面高一些，使观众的视线不被遮挡，能看清舞台。

wǔ tái dēng guāng
舞台灯光

舞台灯光是演出时必不可少的设备。灯光从不同的方向打过来，为突出剧中的场景、气氛和人物服务。

观众席的座位是阶梯式的，后排比前排高。

大幕拉上，可以暂时隔开舞台与观众；大幕拉开，演出开始。

wǔ tái bù jǐng
舞台布景

舞台布景制造出剧中的环境、气氛。有的布景是一块布上画的场景，有的布景做成模型，还有的布景就是实物。

扮演唐朝使节的演员穿着唐代的服饰

你知道文成公主的故事发生在哪个朝代吗？

A 汉代　B 唐代　C 宋代

成语bag
好戏连台

演出时演员从侧幕后面上场

檐(yán)幕像帘

舞台后部表示远景的幕叫天幕

A英语box

Theatre actors perform on the stage.

问题basket

演戏时什么把舞台与观众暂时隔开？

舞台布景由模型、实物和幕布上的画合成。

wǔ tái biǎo yǎn
舞台表演

舞台有露天的和室内的，演员扮演剧中角色，在舞台上向观众演出剧中的故事。

松赞干布是剧中的男主角。演员的服饰和表演，让我们看到了古代藏族君王的风采。

扮演侍从的演员穿着藏族特色的服饰

戏剧的女主角是唐代的文成公主。她衣饰华丽，雍(yōng)容大方，表现了大唐盛世的富庶和文明。

摄影需要有
灯光的配合

<h1>pāi diàn yǐng
拍电影</h1>

pāi diàn yǐng shì yóu shè yǐng jī jiāng jǐng wù rén wù de biǎo yǎn děng pāi shè zài jiāo piàn
拍电影是由摄影机将景物、人物的表演等拍摄在胶片
shàng pāi hǎo de jiāo piàn jīng guò diàn yǐng gōng zuò zhě jiā gōng zhì zuò chéng gè shì yǐng piàn zài
上。拍好的胶片经过电影工作者加工制作成各式影片，再
yóu fàng yìng jī jiāng yǐng piàn de tú xiàng fàng yìng dào yín mù shàng gōng rén men guān kàn
由放映机将影片的图像放映到银幕上，供人们观看。

zhǔn bèi gōng zuò
准备工作

电影拍摄之前要做的准备工作
很多，首先要有剧本，导演再根据
剧情挑选演员，制定拍摄计划，然
后一步步具体实施拍摄。

摄影师在选择拍摄的角度，
镜头对准拍摄对象。

pāi shè
拍摄

在选好的拍摄场地上，演员按照角色
要求化装，然后在导演的指导下进行表
演，摄影师按导演的要求分镜头拍摄。其
他辅助人员各司其职，共同配合。

场记记录拍摄过程和所
拍镜头的具体内容

摄影机拍下
的镜头真实
地反映在监
测器上

导演在指导拍摄
观看摄制效果。

22

The shooting of films should choose suitable sites.

用电脑制作的虚拟场景

外星人是影片中的角色之一

演员全副武装投入表演

问题basket

电影的后期制作要经过哪些环节?

hòu qī zhì zuò
后期制作

　　将拍好的分镜头胶片进行冲洗、剪接，再进行录音合成，制成一部完整的影片胶片，然后印制拷贝，供播放时使用。后期制作也要在导演的指导下进行。

后期制作时，电脑可以把卡通人物和真实人物合成在一起。

What什么叫分镜头?

　　一部电影要由很多个镜头组成。导演在拍摄影片时，要一个镜头一个镜头分别拍摄，这每一个镜头就叫做分镜头。

化妆师在现场为演员化装

20世纪60年代拍摄的水墨动画片《小蝌蚪找妈妈》，运用了中国传统画的技法，很有童趣。

dòng huà piàn
动画片

动画片又叫卡通片，是以夸张的绘画手法画出人物（动物）形象、表现故事情节的影片。动画片形象生动有趣，色彩丰富，特别适合儿童欣赏观看。

万籁鸣导演的《大闹天宫》是中国动画片中的精品，1963年获中国第二届电影百花奖最佳美术片奖；1978年获英国伦敦国际电影节最佳影片奖。

万古蟾

万籁鸣

万超尘

wàn shì sān xiōng dì
万氏三兄弟

中国美术片的开拓者是万氏兄弟，即万籁(lài)鸣、万古蟾(chán)和万超尘。1926~1940年间，他们合作完成的动画短片有《大闹画室》、《龟兔赛跑》、《骆驼献舞》等，动画长篇有《铁扇公主》。

jiǎn zhǐ piàn
剪纸片

剪纸片中的人物形象和场景都是用纸片剪出来的，和它相近的还有剪影片。剪纸片色彩丰富，人物场景表现得都很细腻(nì)具体；而剪影片的人物、场景由简单的侧面黑影构成，粗犷简练。

1958年，万古蟾率领年轻的创作人员，试制成功首部剪纸片《猪八戒吃西瓜》。片中人物的造型极具民族特色。

měi shù piàn
美术片

měi shù piàn bāo kuò dòng huà piàn　mù ǒu piàn　jiǎn zhǐ piàn
美术片包括动画片、木偶片、剪纸片

děng　yóu yú tā fù yú huàn xiǎng　sè cǎi kuā zhāng　qù wèi xìng
等。由于它富于幻想、色彩夸张，趣味性

qiáng　dà rén hé hái zi dōu xǐ huan kàn　sūn wù kōng　yú tóng
强，大人和孩子都喜欢看。孙悟空、渔童、

hú lu wá　hǎi ěr xiōng dì　né zhā děng měi shù piàn zhōng de
葫芦娃、海尔兄弟、哪吒等美术片中的

xíng xiàng　shòu dào xǔ duō rén dè xǐ ài
形象，受到许多人的喜爱。

成语bag

赏心悦目

1978年获得国际电影节奖的动画片是哪一部？

A 《大闹天宫》　B 《孔雀公主》
C 《猪八戒吃西瓜》

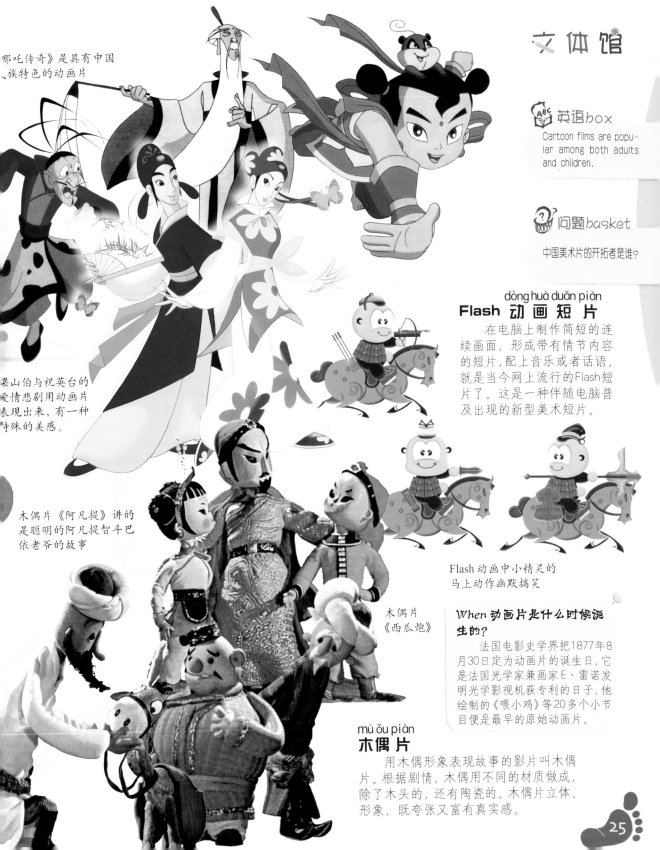

《哪吒传奇》是具有中国
民族特色的动画片

英语box

Cartoon films are popular among both adults and children.

问题basket

中国美术片的开拓者是谁?

梁山伯与祝英台的
爱情悲剧用动画片
表现出来，有一种
特殊的美感。

dòng huà duǎn piàn
Flash 动画短片

　　在电脑上制作简短的连
续画面，形成带有情节内容
的短片，配上音乐或者话语，
就是当今网上流行的Flash短
片了。这是一种伴随电脑普
及出现的新型美术短片。

木偶片《阿凡提》讲的
是聪明的阿凡提智斗巴
依老爷的故事

木偶片
《西瓜炮》

Flash 动画中小精灵的
马上动作幽默搞笑

**When 动画片是什么时候诞
生的?**

　　法国电影史学界把1877年8
月30日定为动画片的诞生日，它
是法国光学家兼画家E·雷诺发
明光学影视机获专利的日子，他
绘制的《喂小鸡》等20多个小节
目便是最早的原始动画片。

mù ǒu piàn
木偶片

　　用木偶形象表现故事的影片叫木偶
片。根据剧情，木偶用不同的材质做成，
除了木头的，还有陶瓷的。木偶片立体、
形象，既夸张又富有真实感。

高高的电视塔是发射
电视节目信号用的

"同游百科园"读书活动
优秀作品展示会

diàn shì jié mù zhì zuò
电视节目制作

diàn shì tái lǐ de shū shu ā yí men měi tiān dōu
电视台里的叔叔阿姨们每天都
zài máng lù zhe tā men bǎ diàn shì jié mù zhì zuò chū
在忙碌着。他们把电视节目制作出
lái ràng guān zhòng néng gòu jí shí kàn dào diàn shì jié
来，让观众能够及时看到。电视节
mù shì zěn me zhì zuò chū lái de ne wǒ men dào diàn
目是怎么制作出来的呢？我们到电
shì tái lǐ qù kàn yí kàn
视台里去看一看。

参与录制节目的小演员们在节
目主持人的指导下进行排练

录音师负责
现场录音

场记

fā shè xìn hào
发射信号

电视工作人员把编辑制作好的节
目信号，通过电视发射塔发送出去，
或通过电缆传送出去。为了远距离传
送电视节目，需要将电视节目信号先
发送到人造地球卫星上，再由卫星转
发到远方，这个过程叫卫星转发。

摄像师从不
同角度拍下
现场的画面

架在楼房顶上的
"大锅"是接收天
线，能够接收卫星
转发的信号。

电视接收机将电
信号还原成图像

转成电信
号发射

图像在荧光屏
上显现出来

图像进入专
门的处理器

摄像机

演员表演

diàn shì jiē shōu
电视接收

我们打开电视机，就是在接收电视。电
视机也叫电视接收机，它将接收到的电信
号还原为画面，在荧光屏上显现出来。电
视机不停地接收电视信号，我们就看到了
不断变化的电视节目。

问题 basket：1958 年 英语 box：远距离电视节目通过卫星转发。

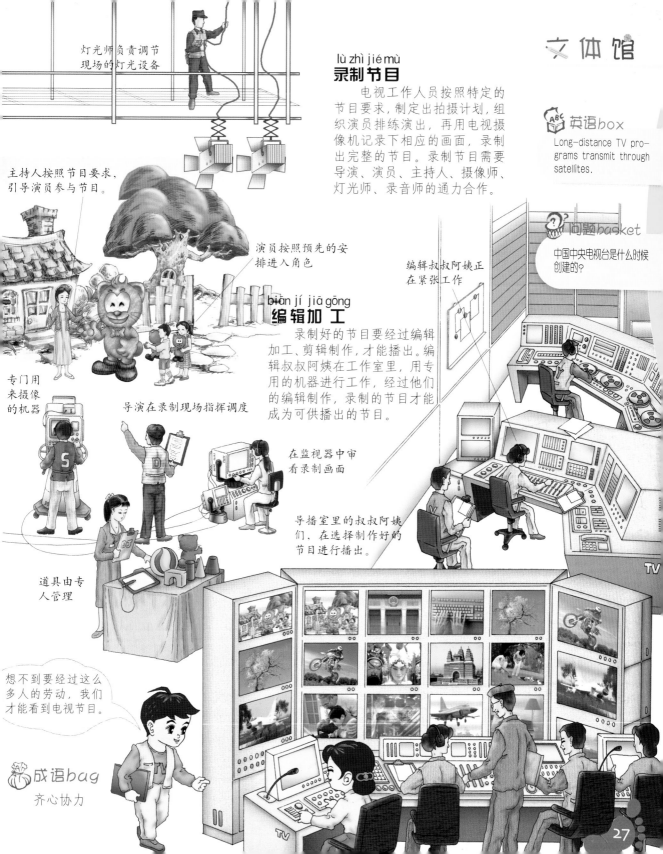

灯光师负责调节现场的灯光设备

主持人按照节目要求，引导演员参与节目。

演员按照预先的安排进入角色

专门用来摄像的机器

导演在录制现场指挥调度

在监视器中审看录制画面

道具由专人管理

想不到要经过这么多人的劳动，我们才能看到电视节目。

成语bag
齐心协力

lù zhì jié mù
录制节目

电视工作人员按照特定的节目要求，制定出拍摄计划，组织演员排练演出，再用电视摄像机记录下相应的画面，录制出完整的节目。录制节目需要导演、演员、主持人、摄像师、灯光师、录音师的通力合作。

英语box
Long-distance TV programs transmit through satellites.

问题basket
中国中央电视台是什么时候创建的？

编辑叔叔阿姨正在紧张工作

bian jí jiā gōng
编辑加工

录制好的节目要经过编辑加工、剪辑制作，才能播出。编辑叔叔阿姨在工作室里，用专用的机器进行工作，经过他们的编辑制作，录制的节目才能成为可供播出的节目。

导播室里的叔叔阿姨们，在选择制作好的节目进行播出。

从涂鸦开始
cóng tú yā kāi shǐ

绘画能反映人的生活和情感。无论是远古人类留在洞穴
huì huà néng fǎn yìng rén de shēng huó hé qíng gǎn wú lùn shì yuǎn gǔ rén lèi liú zài dòng xué

崖壁上的神秘图形，还是小朋友画出的稚嫩图画，都源于对
yá bì shàng de shén mì tú xíng hái shì xiǎo péng you huà chū de zhì nèn tú huà dōu yuán yú duì

生活的观察和想像。看到就画，想到就画，是绘画的开始。
shēng huó de guān chá hé xiǎng xiàng kàn dào jiù huà xiǎng dào jiù huà shì huì huà de kāi shǐ

画得不像不要紧
huà de bú xiàng bú yào jǐn

　　小朋友一开始画出的画可能歪
歪扭扭，而且还与画的对象相差很
多。这不要紧，能抓住事物最主要的
特征下笔，再充分发挥想像力和创造
力，日积月累，你就可以把画画好了。

5 到 9 岁
的孩子最
爱画画

虽然线条有粗有
细，但自行车的
轮廓已清晰可见。

孩子们喜欢在纸上、
地上或墙上留下自
己的"大作"。

彩色蜡笔是
小朋友画画
常用的工具

车把、车条、车座和
车轱辘都画上去了。

儿童画——螳螂（高昊文男 6 岁）

颜色最能体现儿童
的情感，鲜艳的颜
色会让他们高兴。

通过画画与伙
伴儿交流情感

小朋友画的动物，
虽然在比例上不太
合适，但却能抓住
动物的主要特征。

这只用蜡笔画的
螳螂动感十足

guān chá yǔ xiǎng xiàng
观察与想像

观察是绘画的基础，认真观察周围的世界，你就有可能准确地描绘它们。想像是绘画的翅膀，大胆想像，你的画就会充满灵气，并富于创意和个性。

画画能培养观察力、记忆力、想像力、创造力和审美能力。

在这幅儿童画里，鸟儿能一边飞，一边下蛋。多有想像力啊！

问题basket

在公共场所随便涂鸦，行吗？

这幅洞穴画粗犷稚拙，简单生动。它表现的是人们在打猎时与动物对峙(zhì)的场面。

彩色铅笔画出的画色彩柔和，能产生意想不到的效果。

yá bì dòng xué lǐ de tú xíng
崖壁洞穴里的图形

在有文字之前，远古人类用图形符号来表示事物，他们使用带有颜色的土石块或用金属工具，在崖壁洞穴上涂抹凿(záo)刻上图形符号，以记录生活中发生的事件。这是人类最早的绘画。

成语bag

信笔涂鸦

小画室
xiǎo huà shì

绘画需要笔、纸、画板等工具材料，用它们可
huì huà xū yào bǐ zhǐ huà bǎn děng gōng jù cái liào yòng tā men kě

以画出千姿百态的画。小朋友，请走进小画室，去
yǐ huà chū qiān zī bǎi tài de huà xiǎo péng you qǐng zǒu jìn xiǎo huà shì qù

认识它们，使用它们吧！
rèn shì tā men shǐ yòng tā men ba

成语bag
笔管条直

笔和纸
bǐ hé zhǐ

绘画离不开笔和纸。国画一般要使用宣纸和专用的毛笔，水彩画、水粉画使用水彩笔和普通纸。油画用的笔，多是各种形状的扁嘴油画笔，画纸是特制的油画纸或油画布等。

画案、画板、画架
huà àn huà bǎn huà jià

画案就是作画用的桌子，一般画国画和水彩画时要把纸平铺在案上，用画案作画。画板是作画时手中拿的硬板，外出写生时常用。画架主要用于画油画和较大的水粉画或素描等。

白天画画可以利用自然光，但要躲开阳光的直射。

分类存放各种颜料和调色剂

用画国画的毛笔画油画行不行？

A 完全可以

B 不行，油画颜料会损毁国画笔。

C 有时为了达到特殊效果才用

画箱

水彩　水粉

水粉纸　宣纸

水彩纸　素描纸

底色涂得要均匀

涂底色的大笔

描细部的小笔

水彩笔

画油画用的毛笔

毛笔

画油画用的木质调色盘

削彩色铅笔的专用刀

彩色铅笔是速写和素描的好帮手

答案：B 同题 basket：英语 box：宣纸 蜡笔是一种绘画工具。

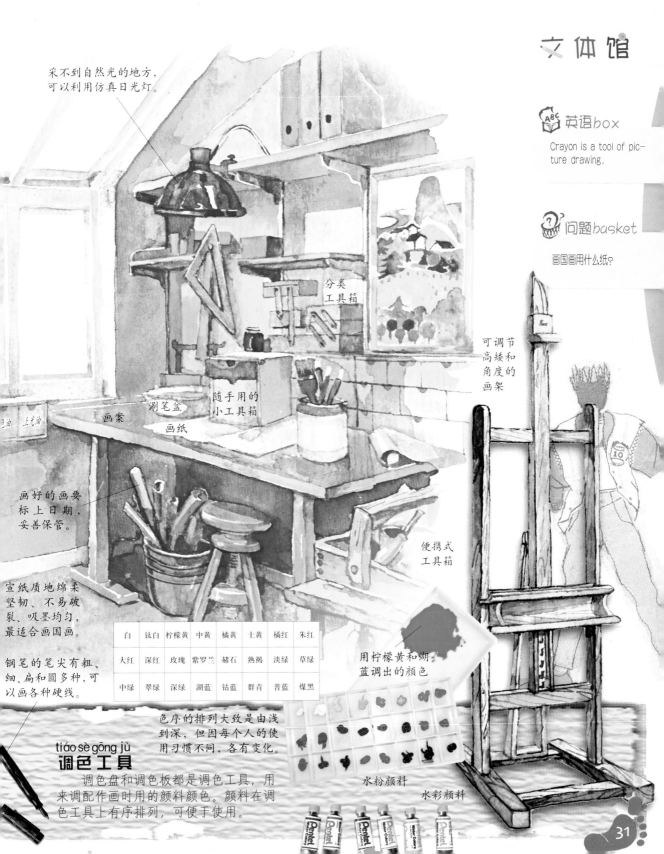

采不到自然光的地方，可以利用仿真日光灯。

问题basket

画国画用什么纸？

分类工具箱

可调节矮和角度的画架

测笔盆

画案

画纸

随手用的小工具箱

上光油

画好的画要标上日期，妥善保管。

宣纸质地绵柔坚韧、不易破裂、吸墨均匀，最适合画国画。

钢笔的笔尖有粗、细、扁和圆多种，可以画各种硬线。

便携式工具箱

白	钛白	柠檬黄	中黄	橘黄	土黄	橘红	朱红
大红	深红	玫瑰	紫罗兰	赭石	熟褐	淡绿	草绿
中绿	翠绿	深绿	湖蓝	钴蓝	群青	普蓝	煤黑

用柠檬黄和湖蓝调出的颜色

色序的排列大致是由浅到深，但因每个人的使用习惯不同，各有变化。

tiáo sè gōng jù
调色工具

调色盘和调色板都是调色工具，用来调配作画时用的颜料颜色。颜料在调色工具上有序排列，可便于使用。

水粉颜料

水彩颜料

去写生
qù xiě shēng

照着实物直接进行描摹
zhào zhe shí wù zhí jiē jìn xíng miáo mó

叫写生。写生是学画画的基
jiào xiě shēng xiě shēng shì xué huà huà de jī

础，它能锻炼你眼到、手到、
chǔ tā néng duàn liàn nǐ yǎn dào shǒu dào

心到的本领，还能为创作提
xīn dào de běn lǐng hái néng wèi chuàng zuò tí

供素材。写生有人物写生、
gōng sù cái xiě shēng yǒu rén wù xiě shēng

景物写生和静物写生。
jǐng wù xiě shēng hé jìng wù xiě shēng

远景小而虚，可以粗略画。

中景丰富生动

妙妙，写生和照相差不多，拿相机拍下来，代替写生吧！

近景大而实，要下功夫画。

不行！自己画的可以取舍，拍出来的不能取舍。

儿童画——人物肖像（陈林子 男）

浓密的胡须和宽宽的额头，体现出男人的成熟与智慧。

简易画架，外出写生时用。

盒里可放写生时用的颜料、画笔和调色板等工具材料。

粉红的嘴唇和明亮的眼睛，透出女孩的稚嫩与灵秀。

人物写生
rén wù xiě shēng

直接照着人物模特画出的画叫人物写生。它不仅要画出人物的高矮胖瘦、动作姿势，还得表现人物的内心和个性特征。

🎒 成语bag

画中有诗

画人物要抓住人物的神态特征

儿童画——人物肖像（曹天骄 8 岁）

墨绿色把绿色和红色协调起来，起到过渡和稳定的作用。

阳光照到的地方，光感很强。

阳光照不到的屋内，光感很差。

黄与绿和谐统一

取景器用来聚焦景物，确定取景角度，判断景物的远近疏密和比例关系。没有取景器，也可以用手代替。

室内的景物也可以入画

大红和大绿耀眼醒目，形成鲜明对比，确立了画面的主色。

Sketching is a good way to learn picture drawing.

写生最重要的是什么?

从不同角度观察，物件的光感、色感和质感是不一样的。

huà jǐng wù
画 景 物

画景物，首先要确定取景角度，再仔细观察眼前的景物，选择哪些画，哪些不画；哪些下功夫画，哪些轻描淡写，最后再动手画。

开始学画，要从简单的东西画起。

huà jìng wù
画 静 物

在室内画静物，要固定好光源和画画的角度，再观察所画物体的形状、色调和质感，把物件的真实模样画出来。

我喜欢的画
wǒ xǐ huan de huà

画有好多种。按使用的工具材料分有国画、油画、水
huà yǒu hǎo duō zhǒng　　àn shǐ yòng de gōng jù cái liào fēn yǒu guó huà　yóu huà　shuǐ

彩画、蜡笔画、版画、素描和电脑绘画等；按画
cǎi huà　là bǐ huà　bǎn huà　sù miáo hé diàn nǎo huì huà děng　àn huà

的题材内容和绘画风格分有人物画、风景画、
de tí cái nèi róng hé huì huà fēng gé fēn yǒu rén wù huà　fēng jǐng huà

风俗画、年画、漫画……你喜欢什么画呢?
fēng sú huà　nián huà　màn huà　　nǐ xǐ huan shén me huà ne

用蜡笔或油画棒画的
画,可以轻擦或厚涂,
自由掌握笔触的粗细。

儿童画——跳芭蕾(高雨佳 女)

成语bag

爱不释手

漫画
mànhuà

漫画用简洁的笔法、变形夸张
的形象表现人或事儿。漫画有的讽
刺,有的幽默,有的蕴含寓意或哲
理,能引人发笑或思考。

钢笔画
gāng bǐ huà

钢笔画是通过线条的
形状变化和轻重疏密表现
物象。它是素描的一种,可
以用在多种绘画的创作中。

利用各种绘图软件在电脑上画的画,
叫电脑绘画。画面可以是平面的,也可
以是立体的。经过技术处理后,画面还
能动起来。

用钢笔画的画,黑白对比
强烈,线条变化丰富。

儿童画——街头画像老头(董奕辰女 6岁)

简单的线条　　复杂的线条

儿童画——汽车(郭楚夕9岁)

用闪光笔、珠光笔或粉彩笔等在彩色纸上画
的画,色彩鲜艳,画面亮闪闪的,很漂亮。

là bǐ huà
蜡笔画

蜡笔画的轮廓(kuò)粗犷,不讲究细节,色彩丰富,能产生稚嫩、纯朴的特殊美感,易学易画。

让你的思想插上翅膀,像鸟一样高飞吧!这样画出的画也会轻舞飞扬、活泼欢畅。

shuǐ cǎi huà
水彩画

水彩颜料鲜亮透明,画在画上清新自然,借助于水表现出色度和色调浓淡,有润泽、明丽的艺术效果。

水彩画用水来调节色彩的浓淡、水少色浓、水多色淡。

儿童画——我穿大木鞋(王楠 9岁)

用彩色水笔画的画也能表现丰富的色彩

英语box

I like comic strips.

问题basket

把你喜欢的画写在边条答案处。

What 什么是小人书?

用连续的画面描绘一个完整的故事或情节,再配上简短的文字说明,内容多半是有教育意义的,叫连环画,俗称"小人书"。

儿童画——布老虎(张黎默 6岁)

听箫人眼神瞥(piē)向一边，手捋(lǚ)胡须，头微侧，完全沉醉在音乐中。

吹箫人闭目凝神，手随嘴的吹奏按动，脚掌轻抬，打着节拍，悠扬的音乐伴随着小溪欢唱。

这幅画表现的是悠闲和恬淡的意境

《听箫图》（局部）（明代吴伟）

荷花出污泥而不染，画荷花，表现了画家对高洁脱俗品格的追求。

🎒 成语bag

出神入化

guó huà de shén yùn
国画的神韵

国画追求神似，在像与不像之间显出韵味和意境，同时传达画家的主观情感。作画时，次要的东西被舍去，本质的东西被夸张，国画的神韵便跃然纸上。

画家画石是在赞美它的坚定和刚正，表达自己的志趣。

题款的横写竖写、字多字少要服从画面需要，选用的字体也要符合画的风格。

tí kuǎn yǔ yòng yìn
题款与用印

在画好的画面上写上画题或诗词文赋等，再加盖作者名章，叫题款和用印。这是中国画特有的做法。

印上的文字分阴文和阳文。白字红底为阴文，红字白底为阳文。

笔洗是用来涮笔的工具

砚台用来研墨、储墨和蘸墨。最著名的砚是端砚。

焦

重

浓

清

淡

mò fǎ
墨法

画国画时用墨的方法叫墨法。它靠墨与水的比例变化和行笔的快慢来调节。墨有焦、浓、重、淡、清五色。讲究墨法的画通常是写意画，它能用简练的笔墨表现画的形神和意境。

镇尺用来压住画纸，使画纸平整不移动。

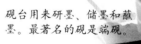

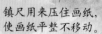

五色墨加上白色又叫六彩

答案：笔 墨 纸 砚　英语box：中国画是用水墨画的。　问题basket：齐白石

画国画
huà guó huà

guó huà yòu jiào zhōng guó huà shì yòng máo bǐ zhàn shàng mò huò dàn cǎi zài juàn bó huò

国画又叫中国画,是用毛笔蘸上墨或淡彩,在绢帛或

xuān zhǐ shàng huà chū de huà tā kào xiàn tiáo de shēn qiǎn cū xì biàn huà lái miáo huì dà qiān

宣纸上画出的画。它靠线条的深浅粗细变化来描绘大千

shì jiè guó huà jiǎng jiu bǐ fǎ hé mò fǎ zhù zhòng shén yùn biǎo xiàn lì hěn qiáng

世界。国画讲究笔法和墨法,注重神韵,表现力很强。

问题basket

中国画虾最有名的画家是谁?

笔法
bǐ fǎ

使用毛笔画画的运笔方法叫笔法。下笔时,用中锋、侧锋、逆锋和拖笔来画各种线条,用钩、勒(lè)、皴(cūn)、点渲染画面。

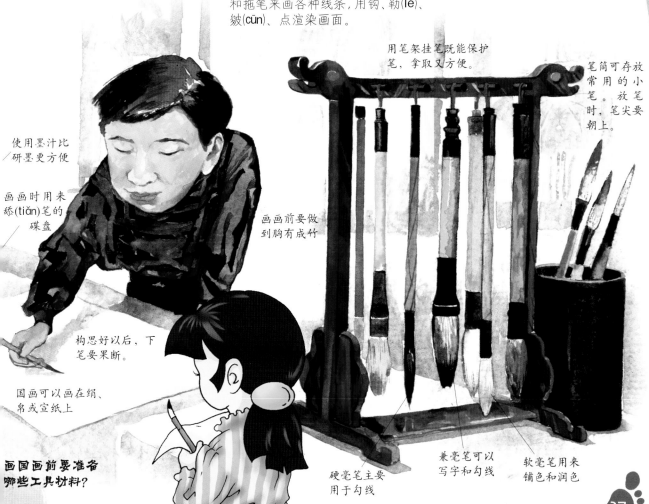

用笔架挂笔既能保护笔,拿取又方便。

笔筒可存放常用的小笔。放笔时,笔尖要朝上。

使用墨汁比研墨更方便

画画时用来舔(tiǎn)笔的碟盘

画画前要做到胸有成竹

构思好以后,下笔要果断。

国画可以画在绢、帛或宣纸上

画国画前要准备哪些工具材料?

硬毫笔主要用于勾线

兼毫笔可以写字和勾线

软毫笔用来铺色和润色

A 米开朗琪罗
B 拉斐尔
C 达·芬奇

huà yóu huà
画油画

yòng yóu huà yán liào huà chū de huà jiào yóu huà　　tā shì huà zài
用油画颜料画出的画叫油画。它是画在

zuò guò dǐ zi de bù　zhǐ huò mù bǎn děng cái liào shàng de huà　yóu huà
做过底子的布、纸或木板等材料上的画。油画

sè cǎi fēng fù　fù yǒu zhì gǎn　biǎo xiàn lì qiáng　huà fǎ kě yǐ fēi
色彩丰富，富有质感，表现力强。画法可以非

cháng xiě shí　yě kě yǐ fēi cháng chōu xiàng
常写实，也可以非常抽象。

Who 猜猜我是谁？

我出生在意大利佛罗伦萨的芬奇镇，我画的《蒙娜丽莎》闻名世界。人们说，我还是雕塑家，对数学、解剖学、建筑、天文、动植物和工程技术都很有研究，通音律。你知道我是谁吗？

成语bag

呼之欲出

开始画时，可先用刷子在画布上涂抹大块色层。

zuò huà dǐ
做画底

无论在布上，还是在纸上或木板上画油画，都要先打底，后作画，这样画出的画才有光泽。做画底的步骤主要是：制胶浆、刷浆、涂底料和打磨。

①用兔皮胶、乳胶或其他防油渗材料制作胶浆。

②用刷子沿着一个方向，薄薄地往布上刷浆，然后再涂底料。胶和底都要涂均匀。

扇形调色笔用来软化笔触，形成渐变色调。

不同的笔有不同的用途，有的用来布局打草稿，有的用来刻画细节。

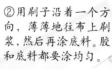

制作油画底的过程

huà bǐ
画笔

油画笔是画油画最重要的工具。笔头一般用猪鬃(zōng)、狼毫或合成纤维制成。不同形状和型号的油画笔沾上颜色多样的油彩，可以描画出美丽的大千世界。

③刷一层底料，用细砂纸打磨一层，保证画布的平整。

用调色刀刀尖对画精雕细
琢，用刀片对画面平铺涂抹。

duō gōng néng de tiáo sè dāo
多功能的调色刀

调色刀是画油画最有用的工具，它能
完成很多工作。如在调色板上调色，刮净
调色板，在画面上增添色彩和变化。最神
奇的是，画错了不用橡皮擦，只要拿刀一
刮，再涂上新色就行了。

从临摹入手，
学画向日葵。

英语box

Oil painting is developed
from tempera.

问题basket

除了用画笔画油画外，还能
用什么工具着色？

画油画首先要有一个好
的构思，选择画什么，
怎么画；然后还要有一
个很好的结构布局。

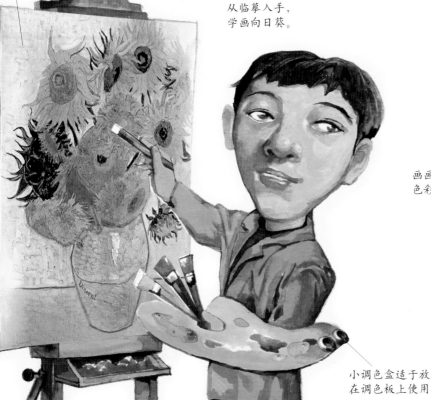

画什么画都
得先打底儿

画画时要注意光线、
色彩和构图的关系

bú pà shuǐ de yóu cǎi
不怕水的油彩

油画的颜料叫油彩，它是
用染料和植物油混合制成的。
油彩色泽鲜亮，可以层层涂抹，
不怕水，能长久保存不褪色。

小调色盒适于放
在调色板上使用

调色油是用来稀
释油画颜料的

油画颜料

笔是用动物毛或人的头发制成的，其中狼毫、羊毫和兼毫笔最常用。

好笔的笔杆又正又直，笔毫整齐顺滑，笔头有尖。

墨锭

笔架

用有色的纸写大字时，可用稍淡的墨。

宣纸纸质柔韧，洁白细腻(nì)，不起皱，不掉毛，不怕卷折，能长久不变色，便于收藏，是写大字、画国画最理想的纸。

xiě máo bǐ zì
写毛笔字

máo bǐ zì shì zhōng guó tè yǒu de wén zì shū xiě yì shù jiǎng
毛笔字是中国特有的文字书写艺术，讲
zì tǐ jié gòu　　yùn bǐ yòng mò　　chū xué zhě yào xiān liàn hǎo jī běn
字体结构、运笔用墨。初学者要先练好基本
fǎ　　zài lín tiè xué xí zì tǐ de jié gòu bù jú
法，再临帖学习字体的结构布局。

wén fáng sì bǎo
文房四宝

写毛笔字、画国画所用的笔、墨、纸、砚，叫文房四宝。湖笔、徽(huī)墨、端砚、宣纸是四宝中最有名的。

上臂　腕

肘　前臂　掌

🎒成语bag
笔走龙蛇

握笔时，力量集中在五指上。

研墨时，用手指按住墨块，不快不慢地顺时针推磨，力要用得匀，才能研出浓稠(chóu)合适的墨汁。

墨要随用随研，用完放在墨盒里。

坐姿要端正，精神要集中

写小一点的字时，手腕放在桌上，用手掌运笔。

用纯白的纸写字时，可用浓墨。

石砚(yàn)

写大一点的字时，把整个手臂悬起，借手掌和肩膀的力运笔。

墨蘸(zhàn)得太多，写出的字就会把纸涂成黑疙瘩；墨蘸得太少，写出的字就不饱满。

答案：姿势正确，坚持练习。　问题basket：楷体　英语box：毛笔字起源于中国。

yǒng zì bā fǎ
永字八法

写毛笔字时，利用笔锋起笔、转折和收笔的方法叫笔法。永字八法是最基本的笔法，即点、横、竖、钩、提、长撇（piě）、短撇、捺。

楷书的结构严谨，笔画分明，是练字的最好字体。

问题basket
开始学临帖时，应该选哪种字体？

永字的8种笔法

点
横
竖
钩
提
长撇
短撇
捺

学写毛笔字要注意什么？

jiǔ gōng gé
九宫格

在方格中画井字，把方格等分为九格，叫九宫格。九宫格是帮助初学者写毛笔字时，确定字的结构位置用的。

除了九宫格，还有田字格、米字格等字格。

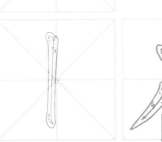

写毛笔字讲究笔画的顺序，更注重起笔和收笔方法。

使用九宫格时，可根据字的结构和字体调整其中某一格的大小。

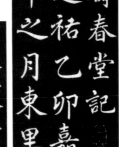

lín tiè
临帖

照着前人碑帖上的字体描摹（mó）叫临帖。临帖是学写毛笔字的常用方法，一般从楷体字开始，先练习各种笔画的标准写法，熟练以后，再临摹其他字体。

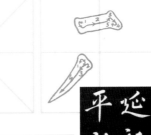

zhōng guó jié
中 国 结

中国结是用彩色丝带编成的饰物，由一个个结组成，图案上下左右对称，反映了浓郁的中国特色，所以叫中国结。

编法一

zhé zhǐ
折纸

编法二

一张纸，经过折叠、剪裁和翻拉，能变成各式各样的形状。折纸能锻炼眼、脑、手的配合能力。

编好的一个结

折纸鹤的步骤

①准备一张边长5厘米的正方形纸

②对角、对边均对折，再捏住纸的中点向里对折压平

③将左右角外折，再里翻，上角里折

④上角沿折痕外折，打开左右三角

⑤从下往上翻开活角，沿中线压平

⑥外翻左右三角形

⑦两底角分别向上折，再沿中线压平

⑧将左侧的角下折一小尖，再折平两大三角形

⑨把腹部吹鼓或拉鼓，再上色，纸鹤就做好了

用丝带交叉固定，再做一些装饰。

pīn tiē huà
拼贴画

把废旧报纸、布、贝壳、木块等多种材料剪下来，按照自己的想法重新组合粘贴，就变成了一幅新的作品。这样做既节约材料，又有新意。

卡子

大头针

用剪刀剪出想要的形状

各色彩纸

双面胶

儿童拼贴画——扬帆（王世杰 男）

做拼贴画，可以先画好图形，剪下来，再在合适的位置粘好。

①炼泥：用力揉(róu)泥，挤压出泥土中的气泡。

dòng shǒu zuò
动手做

shēng huó zhōng chù chù yǒu měi　　zhǐ yào nǐ píng shí zhù yì
生活中处处有美。只要你平时注意

guān chá shēng huó　yòng xīn shōu jí cái liào　zài xué huì qiǎo miào
观察生活，用心收集材料，再学会巧妙

de zhì zuò jiā gōng tā men　yí gè gè kě ài de xiǎo wù jiàn jiù
地制作加工它们，一个个可爱的小物件就

huì huó líng huó xiàn de bǎi zài nǐ miàn qián　kuài shì shì ba
会活灵活现地摆在你面前。快试试吧!

②拉坯:把揉好的泥团放在机器上，等机器转动后，双手捧着泥团反复上下拖拉。

táo yì
陶艺

　　用泥、陶土等做成各种形状的工艺品，是一件很有意思的事。制作步骤是炼泥、拉坯(pī)成型、上釉(yòu)、烧制。

把人或动物的头、身子、四肢等分别做成模具，放入陶泥，刻出来，再把它们组合好粘在一起，就可做出完整的人或动物形象。

成语bag

乐此不疲

④入窑烧制，完成作品。

③给成型、风干后的陶器上釉。

英语box

We've learnt how to make pottery.

问题basket

中国结的图案有什么特点?

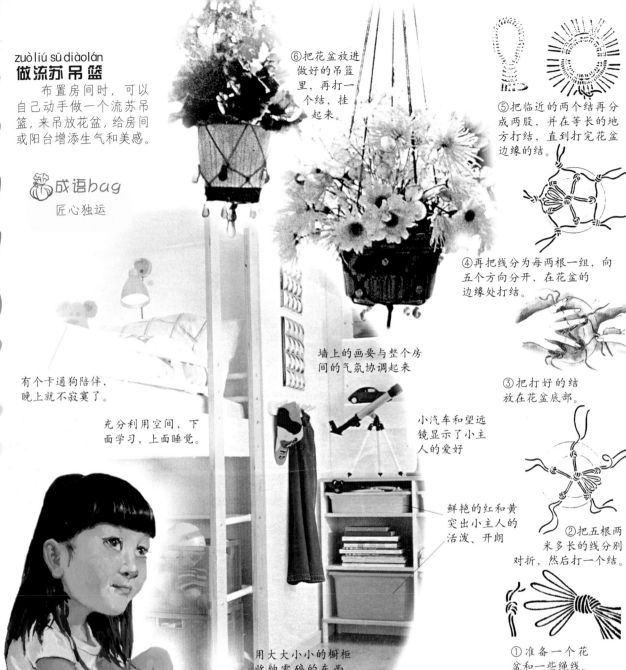

zuò liú sū diào lán
做流苏吊篮

布置房间时，可以自己动手做一个流苏吊篮，来吊放花盆，给房间或阳台增添生气和美感。

成语bag
匠心独运

有个卡通狗陪伴，晚上就不寂寞了。

充分利用空间，下面学习，上面睡觉。

墙上的画要与整个房间的气氛协调起来

小汽车和望远镜显示了小主人的爱好

鲜艳的红和黄突出小主人的活泼、开朗

用大大小小的橱柜收纳零碎的东西，居室显得整齐干净。

⑥把花盆放进做的吊篮里，再打一个结，挂起来。

⑤把临近的两个结再分成两股，并在等长的地方打结，直到打完花盆边缘的结。

④再把线分为每两根一组，向五个方向分开，在花盆的边缘处打结。

③把打好的结放在花盆底部。

②把五根两米多长的线分别对折，然后打一个结。

①准备一个花盆和一些绳线。

bù zhì zì jǐ de fáng jiān
布置自己的房间

自己动手布置房间，可以发挥想象力来满足个人的喜好，还能锻炼动手能力。试着用喜欢的颜色搭配家具、窗帘和床罩，用小物件点缀(zhuì)墙面和桌面，用橱柜、盒子存放日常用品，房间会更舒适、更实用、更有个性，也更有美感。

美化我的家
měi huà wǒ de jiā

shēng huó zhōng yě xū yào měi　zì jǐ dòng shǒu　yòng xú guò de měi shù zhī shi zuò diǎnr
生活中也需要美。自己动手，用学过的美术知识做点儿

xiǎo wù jiàn　bǎi zài fáng jiān lǐ　bù jǐn kě yǐ měi huà wǒ men de xīn líng　hái néng měi huà wǒ
小物件，摆在房间里，不仅可以美化我们的心灵，还能美化我

men de jiā　ràng jiā gèng shū shì　wēn xīn
们的家，让家更舒适、温馨。

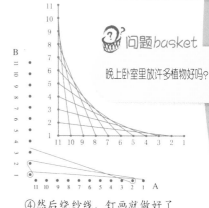

英语box

We should pay attention to discovering and creating beauty in everyday life.

问题basket

晚上卧室里放许多植物好吗？

记住，第一次做钉画要在大人的帮助指导下做。

②再按图把大头钉依次钉在木板上。

③用木块比着，让钉入的钉子高度相等。

做钉画
zuò dīng huà

用装饰钉、纱线和木板做成的画叫钉画。钉画别有韵味，又简单易学。自己做钉画，可以充分享受到创造的乐趣。

④然后绕纱线，钉画就做好了。

①做钉画要先画好图纸。

摆放绿色植物，房间里显得有生气，又能保持空气新鲜。

这里放一缸金鱼，屋里就更有生气了！

根据房间的格局，把家具放在合适的地方。

45

田径运动
tián jìng yùn dòng

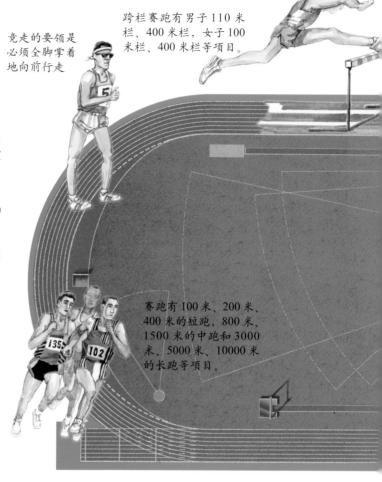

跨栏赛跑有男子110米栏、400米栏，女子100米栏、400米栏等项目。

竞走的要领是必须全脚掌着地向前行走

tián jìng yùn dòng shì zǒu pǎo tiào tóu
田径运动是走、跑、跳、投
de yùn dòng bèi chēng wéi yùn dòng zhī mǔ
的运动，被称为"运动之母"，
shì cān yù zuì pǔ biàn de tǐ yù xiàng mù tián
是参与最普遍的体育项目。田
jìng bǐ sài bāo kuò tián sài jìng sài quán néng sài
径比赛包括田赛、径赛、全能赛
děng zǒng gòng yǒu duō gè dān xiàng bǐ sài
等，总共有40多个单项比赛。

赛跑有100米、200米、400米的短跑，800米、1500米的中跑和3000米、5000米、10000米的长跑等项目。

径赛
jìng sài

径赛以时间计量成绩，包括竞走和赛跑两大类。竞走分为场地赛和公路赛两项，赛跑分为短、中、长距离跑和跨栏跑、接力跑、障碍跑等。

跳高

链球

标枪

铅球

铁饼

撑竿跳高

跳远

这些都是投掷运动的项目

这些都是跳跃运动的项目

成语bag
争先恐后

田赛
tián sài

田赛通常以高度和远度计算成绩，包括跳跃、投掷两大类。跳高、撑竿跳高、跳远、三级跳远和铅球、标枪、铁饼、链球都是田赛的项目。

46

接力赛有4×100米、4×200米、4×400米、4×800米。这些项目需要集体的协作和配合。

在2004年雅典奥运会上，年仅20岁的山东姑娘邢慧娜，以30分24秒36的成绩获得女子10000米金牌。

径赛包括以下哪类运动？

A 赛跑

B 铁饼

C 竞走

英语box

Track and field sports are most popular sports in the world.

问题basket

赛跑共有多少个比赛项目？

夺得奥运110米栏金牌后，刘翔兴奋地举起中国国旗表达胜利的喜悦。

fēi máo tuǐ liú xiáng
飞毛腿刘翔

刘翔1983年7月13日出生于上海，身高1.88米。2004年雅典奥运会上，他以12秒91的成绩夺得男子110米栏金牌，实现了中国男选手奥运会田径项目零的突破。这个成绩打破了奥运会纪录，平了世界纪录，是一次历史性的胜利。

zú qiú
足球

足球运动被称为世界第一运动，覆盖全球各个角落，"英超"、"意甲"、"西甲"、"德甲"、"法甲"号称世界足球五大联赛。大规模的国际性的比赛有4年1次的世界杯足球赛和奥运会足球赛。

2002年的贝利巳不再出现在足球场上，但仍然关注足球运动。这是他在日本宣布第17届世界杯最佳阵容人选。

qiú wáng bèi lì
球王贝利

贝利是巴西优秀的足球运动员。他18岁入选国家队，当年就作为巴西队成员为巴西夺得了第一个世界冠军。他技术高超，战术灵活，既擅长个人突破进球，又善于与队友合作。他在20年中，参加了1363场比赛，射进1281个球。他的技术、球风影响了世界。

球迷在脸上涂上油彩，表达自己对球队的支持。

前锋、中场负责组织进攻

qiú mí
球迷

现代足球运动中，有更多的观众参与，其中热情的球迷更是全身心投入。他们组成拉拉队，在赛场上摇旗呐喊，用各种方式表达对喜爱的球队、球员的支持。球迷的参与，推动了足球运动的发展。

后卫负责防守

zú qiú bǐ sài
足球比赛

足球比赛以攻进对方球多者为胜，分为上、下半场，各45分钟，中场休息15分钟。在淘汰赛中，如果90分钟内不能分出胜负，会进行30分钟加时赛。如果仍不能决出胜负，就要用踢点球的方法决胜负。

cù jū
蹴鞠

　　中国古代足球被称为"蹴鞠"，就是用脚踢球的意思。汉代就有了鞠城，是专供比赛的场地，就像现在的球场。到了唐宋时期，蹴鞠活动已十分盛行。2004年，国际足联正式确认足球起源于中国。

中国古代的蹴鞠活动
看上去并不像现代足
球那样激烈紧张

足球外壳用皮革制成，周长为68～71厘米，重量为396～453克。在足球比赛中，未经裁判员许可，不得更换比赛用球。

问题basket

在足球比赛中，同一人连得几张黄牌警告要被罚下场？

成语bag

一决雌雄

cān sài qiú yuán
参赛球员

　　足球比赛双方球员各为11人，其中1个守门员负责守大门，其他10人按照分工有前锋、中场、后卫等，负责进攻、防守等职责。正式比赛每队只可替换3人，若比赛时一方球员少于7人，裁判会立即结束比赛，判对方获胜。

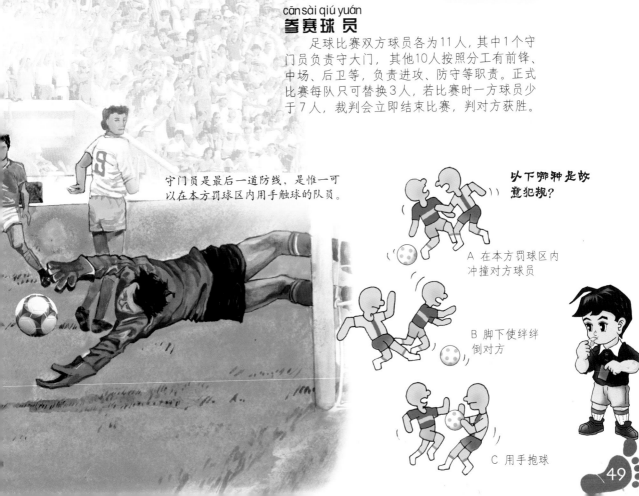

守门员是最后一道防线，是惟一可以在本方罚球区内用手触球的队员。

以下哪种是故意犯规？

A 在本方罚球区内冲撞对方球员

B 脚下使绊绊倒对方

C 用手抱球

问题 basket：是在球场边上帮助捡球的   英语 box：NBA是美国职业篮球联赛的缩写（简称）。

篮球
lán qiú

lán qiú qǐ yuán yú yòng qiú xiàng zhuāng táo de lán zi tóu zhǔn de
篮球起源于用球向 装桃的篮子投准的

yóu xì   shì yí xiàng qiú lèi jí tǐ xiàng mù   zài yí kuài cháng fāng
游戏，是一项球类集体项目。在一块长方

xíng chǎng dì shàng   bǐ sài shuāng fāng yùn yòng gè zhǒng jì zhàn shù bǎ
形场地上，比赛双方运用各种技战术把

qiú tóu rù lán kuāng   àn dé fēn duō shǎo jué dìng shèng fù
球投入篮筐，按得分多少决定 胜负。

街头篮球
jiē tóu lán qiú

"街头篮球"又叫"三对三"篮球赛。比赛一般在街头巷尾的公共球场上进行，双方只在半个球场内展开争夺。每个球队由4人组成，上场3人，一场比赛20分钟。近几年它传入我国，在一些大、中城市已进行了多次比赛。

🎒成语bag

胜败乃兵家常事

进攻方控球时必须在24秒内出手投篮。3分线外侧投入得3分，3分线内侧投入得2分，罚球投进得1分。

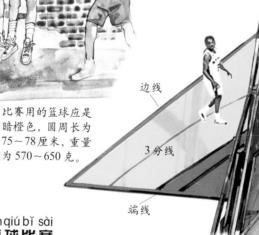

比赛用的篮球应是暗橙色，圆周长为75～78厘米，重量为570～650克。

中圈

边线

罚球区

3分线

3秒区

端线

篮球比赛
lán qiú bǐ sài

正式的篮球比赛，双方各有5人出场。比赛由4节组成，每节10分钟（美国NBA篮球联赛每节12分钟）。若第四节比赛结束时双方比分相同，则加赛5分钟；若比分仍然相同，则再进行5分钟的加时赛，直至分出胜负。

正式的篮球比赛在室内正规的场地上进行。球场长28米，宽15米。长边的界线叫边线，短边的界线叫端线，连接边线中点的线叫中线。场内还设有中圈、3秒区、罚球区、3分线等。

NBA和FIBA在比赛规则上有很多区别

	NBA	FIBA
比赛时间	48分钟	40分钟
临场裁判人数	3人	2人
球员犯规下场	6次	5次
请求暂停	场上的队员	场边的教练

NBA 是美国职业篮球联赛的英文缩写

FIBA 是国际篮球联合会的英文缩写

英语box

NBA stands for the National Basketball Association of the United States.

问题basket

球童是干什么的?

篮球队员有不同的分工,其中中锋在比赛时起着重要作用。一个好中锋攻守技术全面;进攻时既能策应传球,又能个人进球得分;防守时既能防住对手,又能封锁篮下,及时补位。

中线

姚明生于1980年9月12日,身高2.26米。

姚明在篮球场上是中锋

yáo míng
姚 明

　　姚明是中国优秀的篮球运动员。1999 年入选中国篮球南方明星队,2000 年成为国家队队员,2002 年效力于美国休斯敦火箭俱乐部,成为 NBA 的明星。在2004年雅典奥运会上,姚明作为中国队主力,为中国男篮进入 8 强立下战功。

51

排球
pái qiú

排球是一种团队竞技项目。
pái qiú shì yì zhǒng tuán duì jìng jì xiàng mù

在以球网分隔的比赛场地上，两
zài yǐ qiú wǎng fēn gé de bǐ sài chǎng dì shàng liǎng

队球员用合乎规定的方式往返击
duì qiú yuán yòng hé hū guī dìng de fāng shì wǎng fǎn jī

球过网，直到球触地、出界或一方
qiú guò wǎng zhí dào qiú chù dì chū jiè huò yì fāng

无法正确地回击为止计算得分。
wú fǎ zhèng què de huí jī wéi zhǐ jì suàn dé fēn

中国女排
zhōng guó nǚ pái

1981年至1986年，中国女子排球队在世界杯、世界锦标赛和奥运会上蝉联世界冠军，成为第一支在世界女子排球历史上五连冠的队伍。女排精神鼓舞中国人民奋争进取。在2004年雅典奥运会上，中国女排力挫群雄，再次获得奥运会金牌。

沙滩排球
shā tān pái qiú

20世纪20年代出现沙滩排球。沙滩排球与室内排球的比赛规则基本一样。不同之处在于：沙滩排球每方只有两名选手上场，且不准有替补队员；一般采取3局2胜制，每局15分；没有3米进攻线，队员在赛场上的位置不固定。

排球周长为65～67厘米，重量为260～280克，气压为0.40～0.45千克/厘米^3。

戴墨镜保护眼睛不被强光刺伤

参加沙滩排球比赛的运动员身穿鲜艳的泳装

排球场地长为18米，宽9米，四周至少有2米空地。场中间横画一条线把球场分成相等的两个区域。

pái qiú bǐ sài
排球比赛

排球比赛双方各有6名队员上场，可以有多名替补。采用5局3胜制，前4局每局25分，决胜局为15分。有明确的3米进攻线的规定，场上队员也有规定的站位。

成语bag

艺高胆大

扣球是进攻得分的主要手段

拦网队员高高跳起，挡住球的来路，这是防守的第一道防线。

英语box

The English word "volleyball" means a flying ball in the air.

问题basket

哪一种排球没有3米进攻线的规定？

后排队员在保护

二传手将球传给扣球的进攻队员

下面的排球技术动作中，哪些是进攻？

A 发球

B 垫球

C 扣球　　D 拦网

为国争光的乒乓球教练员蔡振华（中）和男乒五虎将——刘国梁、马琳、王励勤、孔令辉、刘国正（后排从左至右）。

pīng pāng qiú
乒乓球

乒乓球是一项由中世纪网球运动派生而来的室内运动。乒乓球的英文名字意为"桌上网球"。因为球与球板、球台碰击时发出"乒乓"的声音，所以人们又叫它乒乓球。

guó qiú
国球

1959年，容国团为新中国赢得了第一个乒乓球世界冠军，开启了中国乒乓球50年长盛不衰的辉煌历史。中国乒乓球队至今已在奥运会、世锦赛、世界杯等国际大赛中获得140多个世界冠军，还曾多次包揽世锦赛和奥运会的金牌。在中国，乒乓球被誉为"国球"。

发球时，一手执拍，另一手将静止的球向上抛起来，抛起的高度不得少于16厘米。

dǎ pīng pāng qiú
打乒乓球

两名（单打）或四名（双打）选手持粘有颗粒胶或海绵胶皮的球拍，在中间隔有网子的球台两端轮流接发、击打一个小而轻的空心球。发球时不能把球直接打到对方台内，而是由己方台内弹过去；接球时必须等对方来球在己方台内弹起，否则违例。

乒乓球双打需要双方的默契和配合。在2004年雅典奥运会上，王楠和张怡宁夺得乒乓球女子双打冠军。

没有接到对方的球算
输，给对方加计1分。

比赛规则

乒乓球比赛采取5局3胜制或3
局2胜制。每局比赛以先得11分者为
胜方。如果比分打到10平，则以10
平后先得2分者为胜方。

乒乓球台面为长方形，长
2.74米、宽1.525米、离地
面高76厘米。各边有2厘
米宽的白线，长的称边
线，短的称端线。

端线

网高15.25厘米，
网长1.83米。

中线宽3厘米，只限在双
打发球的时候使用。

边线

英语box
The table tennis sport is
quite popular in China.

问题basket
谁为中国赢得了第一个乒乓
球世界冠军？

2000年以后，为
了提高比赛的观
赏性，适应电视
转播的要求，国
际乒联将比赛用
球由直径38毫米
的小球改为直径
40毫米的大球。

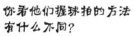
成语bag
游刃有余

球拍的大小、形状和重量不限，
但底板应平整坚硬，击球的一面
由颗粒胶皮或海绵胶皮覆盖。

你看他们握球拍的方法
有什么不同？

A B

pīng pāng qiú bǐ sài
乒 乓 球 比 赛

乒乓球比赛有男女团体、男女
单打、男女双打和混合双打7个项目。1988年的汉城奥运
会，乒乓球成为正式比赛项目，设男女单打和
双打4项。2000年开始，比赛由每局21分制
改为11分制，并且实行无遮挡发球。

球员使用的球拍分为直拍和
横拍两种，因而握拍方法也
分为直握、横握两种。

网球和羽毛球

wǎng qiú hé yǔ máo qiú

网球比赛
wǎng qiú bǐ sài

正式的网球比赛设有男女的团体、单打、双打和混合双打7个项目。比赛时，先由一方发球，第一次发球失误后不计分。双方以先得4分者为胜一局。如果得分相同，则须有一方净胜2分，才能结束一局的比赛。

网球运动和羽毛球运动都起源于英国。在中间有网的长方形场地上，由二人（单打）或四人（双打）用球拍往返击球，使之弹过球网。网球和羽毛球都是世界上流行的运动。

在网球拍的椭圆形框子上，用羊肠线、牛筋线或尼龙线穿织成拍面。球拍框子有木制、金属制或石墨制的。

网球发球技术
wǎng qiú fā qiú jì shù

发球是争夺每一分的开始。采用大力、凶猛和多种旋转的发球，可以直接得分，或为上网创造机会。常见的发球有平击、上旋和切削发球等。

标准网球为白色或黄色，球是毛质纤维覆盖的橡胶球，没有缝线。直径为6.35~6.67厘米，重量为56.7~58.47克。

羽毛球是羽毛做的，网球是什么做的呢？

A 网子

B 橡胶

C 毛质纤维

场地中间张挂球网

羽毛球场地是长方形的，长13.4米，单打球场宽5.8米，双打球场宽6.1米。

前发球线

边线

双打场地的边线

端线

双打后发球线

yǔ máoqiú bǐ sài
羽毛球比赛

　　羽毛球比赛只有发球方赢球才能得分，比赛采取 3 局 2 胜制。在男单、男双、女双、混双比赛中，先得15分者获胜，女单为11分获胜。比赛出现赛点平分时，先到赛点一方可以选择加赛，先得 3 分者获胜。若不选择加赛，先得一分者获胜。

羽毛球拍面比网球拍面小，用尼龙线或羊肠线穿织而成，具有很好的弹性。拍框则用合金或木料制成。

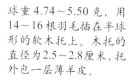

成语bag

出奇制胜

球重 4.74～5.50 克，用 14～16 根羽毛插在半球形的软木托上。木托的直径为2.5～2.8厘米，托外包一层薄羊皮。

2004 年 8 月 22 日雅典奥运会上，李婷、孙甜甜合作默契，夺得网球女子双打冠军。这是我国运动员获得的第一个网球世界冠军。

水上运动
shuǐ shàng yùn dòng

shuǐ shàng yùn dòng shì xǔ duō rén dōu xǐ huan de tǐ yù
水上运动是许多人都喜欢的体育
yùn dòng   tā kě yǐ shǐ rén men chōng fèn tǐ yàn yáng guāng
运动。它可以使人们充分体验阳光、
kōng qì hé shuǐ de yùn wèi   zuì pǔ tōng de yùn dòng jiù shì yóu
空气和水的韵味。最普通的运动就是游
yǒng   zhǐ yǒu xué huì le yóu yǒng   cái néng cóng shì qí tā shuǐ
泳,只有学会了游泳,才能从事其他水
shàng yùn dòng xiàng mù
上运动项目。

在 2004 年雅典奥运会 3 米板跳水决赛中,我国著名女选手郭晶晶以 633.15 分获得金牌。

帆板运动
fān bǎn yùn dòng

运动员站到板上,利用吹到帆上的自然风力操纵帆向,使帆板在水平面上向前行驶。帆板运动出现于 20 世纪 60 年代末,仅有 30 多年的历史,但已成为世界体育运动中发展最快、最热门的项目之一。

比赛用的帆板由帆板、桅杆、舵、稳向板和索具等部件构成

成语bag
如鱼得水

问题 basket: 有游泳、跳水、水球、赛艇、滑水、冲浪等 英语 box: 水上运动是一项好玩又好看的运动。

tiào shuǐ
跳水

　　运动员在跳台或跳板上起跳、在空中完成动作后跃入水中。跳台有10米、7.5米和5米三种高度，跳板有3米和1米两种高度。跳水比赛时，运动员从起跳到入水前的一套动作，都是在瞬间完成的，所以，要求运动员的技术动作非常熟练，而且要冷静沉着。

无论是跳台跳水还是跳板跳水，都要在起跳时孕育动作，腾空后完成动作。

问题basket

水上运动有哪些项目？

身体入水应笔直与水面成90度，入水时击溅的水花要小。

奇奇，我们去玩冲浪好么？

我游累了，歇一会儿再去。

蛙泳是模仿青蛙的动作向前游的泳姿，比赛项目有100米、200米和接力赛等。

自由泳是用双腿打水、左右手分别劈水向前游的泳姿，比赛项目有50米、100米、200米、400米、800米、1500米和接力赛等。

仰泳是脸朝上、双手分别向后划水的泳姿，比赛项目有100米、200米。

蝶泳是模仿蝴蝶和海豚的动作向前游的泳姿，比赛项目有100米、200米。

yóu yǒng
游泳

　　游泳是通过自身动作在水里行进的运动。游泳动作来源于对动物动作的模仿，如蛙泳就是模仿青蛙的动作设计的。游泳需要训练才能掌握要领。学会游泳，不仅能锻炼身体，还能在关键时刻自救或救他人。

冰雪运动

冰球比赛时，运动员脚穿冰鞋，手持冰杆，穿戴护胸、护肘、护裆、护腿、头盔等护具。

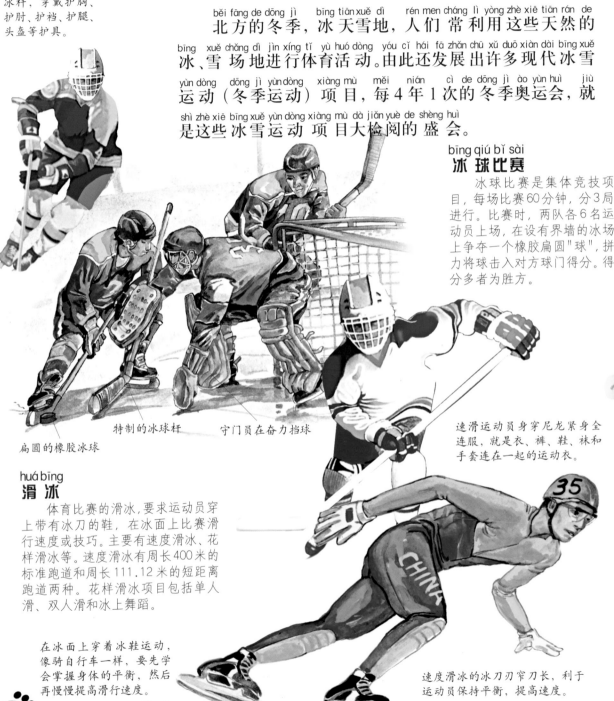

北方的冬季，冰天雪地，人们 常利用这些天然的冰、雪场地进行体育活动。由此还发展出许多现代冰雪运动（冬季运动）项目，每 4 年 1 次的冬季奥运会，就是这些冰雪运动 项目大检阅的 盛会。

冰球比赛

冰球比赛是集体竞技项目，每场比赛 60 分钟，分 3 局进行。比赛时，两队各 6 名运动员上场，在设有界墙的冰场上争夺一个橡胶扁圆"球"，拼力将球击入对方球门得分。得分多者为胜方。

特制的冰球杆   守门员在奋力挡球

扁圆的橡胶冰球

速滑运动员身穿尼龙紧身全连服，就是衣、裤、鞋、袜和手套连在一起的运动衣。

滑冰

体育比赛的滑冰，要求运动员穿上带有冰刀的鞋，在冰面上比赛滑行速度或技巧。主要有速度滑冰、花样滑冰等。速度滑冰有周长 400 米的标准跑道和周长 111.12 米的短距离跑道两种。花样滑冰项目包括单人滑、双人滑和冰上舞蹈。

在冰面上穿着冰鞋运动，像骑自行车一样，要先学会掌握身体的平衡，然后再慢慢提高滑行速度。

速度滑冰的冰刀刃窄刀长，利于运动员保持平衡，提高速度。

高山滑雪是穿着滑雪板、在滑雪杆的辅助下，从有一定坡度的山上向下滑。比赛时，速度和带有一定难度的动作是评判胜负的依据。

问题basket

速度滑雪怎样计算名次

滑雪时要穿好防护用具，盔形帽、有色镜、防风镜能保证运动员滑雪安全。

妙妙，怎么才能不摔跤呢？

滑雪服要轻便保暖、颜色鲜艳

高山滑雪的转弯，要求运动员动作协调，利用身体重心的转移交换，来保持身体的平衡。

A 掌握平衡　B 动作协调
C 速度适中　D 穿新滑雪板

滑雪杖起平衡和支撑作用

成语bag

技高一筹

huá xuě
滑雪

　　滑雪作为一项体育运动始于北欧，正是滑雪运动的推广与普及，促成了1924年首届冬季奥运会的举行。滑雪运动是勇敢者的运动，比赛项目有很多，其中高山滑雪、速度滑雪和滑板滑雪是比较普及的。

diào huán
吊环

吊环为钢索悬挂在5.8米立架上的两只木环。吊环运动起源于法国，是男子竞技体操项目。比赛的成套动作由各种摆动、用力动作和静止姿势组成。

tǐ cāo
体操

zì yóu tǐ cāo　ān mǎ　diào huán　tiào mǎ　shuāng
自由体操、鞍马、吊环、跳马、双

gàng　dān gàng　gāo dī gàng　píng héng mù dōu shì tǐ cāo
杠、单杠、高低杠、平衡木都是体操

yùn dòng xiàng mù　yě jiào zuò jìng jì tǐ cāo　hái yǒu yì
运动项目，也叫做竞技体操。还有一

zhǒng nǚ zǐ tǐ cāo jiào zuò yì shù tǐ cāo　tǐ cāo yùn dòng
种女子体操叫做艺术体操。体操运动

zhōng de dòng zuò qiáng jiàn　yōu měi　bèi rén men chēng wéi
中的动作强健、优美，被人们称为

liú dòng de diāo sù
"流动的雕塑"。

美国运动员K.托马斯，在鞍马运动中创造了分腿波浪全旋技术，后来把它称为托马斯全旋。

木环下沿距地面
2.55～2.85米

"十字支撑"是一个静止的姿势

zì yóu tǐ cāo
自由体操

自由体操是竞技体操项目。男子自由体操以翻跟头为主，从单纯的手翻、空翻到复杂的两周、三周、旋空翻、多周转体和直体旋。女子自由体操由各种转体、跨跳、舞蹈等技巧动作组成，编排连接更加优美巧妙，并伴有美妙的音乐。

ān mǎ
鞍马

鞍马是男子竞技体操项目。比赛动作有两臂交替支撑的各种单腿摆越、正反交叉、单双腿全旋和各种移位转体等。

鞍马器械长160厘米，宽35厘米。

木环的内径 20厘米

在平衡木上所做的各种动作，都需要运动员有很好控制身体平衡的能力。

圈与人的动作浑然一体，优美协调。

pínghéng mù
平衡木

平衡木是女子竞技体操项目。比赛动作有各种跳步、转体、平衡、造型及各种翻滚，追求整套动作的艺术性、竞技性和稳定性。

用带子舞出动感的美

yì shù tǐ cāo
艺术体操

徒手或借助绳、圈、球、棒、带，在音乐伴奏下表演的女子体操叫做艺术体操。艺术体操动作舒展，造型优美，是力与美的结合。

④吊环

指出下列体操项目哪些是男子项目（A），哪些是女子项目（B）？

③平衡木

在2004年雅典奥运会上，俄罗斯的艺术体操获得金牌。

②鞍马

①艺术体操

成语bag

刚柔相济

奥林匹克会旗是五环旗，白底无边，中央由红绿黄蓝黑五种颜色的圆环相互套连，象征五大洲的团结，象征全世界运动员以公正坦率的比赛在奥运会上相见。

diǎn rán huǒ jù
点燃火炬

奥运会开始前，在奥林匹亚希腊女神赫拉（宙斯之妻）庙旁，用凹面镜聚集阳光，点燃火炬。之后进行火炬接力，于奥运会开幕前一天到达举办城市。在开幕式上，由东道国运动员接最后一棒点燃奥运会主火炬。点燃主火炬的方式有多种，各举办国都争相出奇。

成语bag
风云际会

Who 是谁为中国赢得第一块奥运金牌？

1984年，在美国洛杉矶举行的第23届奥运会上，中国运动员许海峰，在射击比赛项目中，为中国赢得了第一块奥运金牌。

贝贝　　晶晶

欢欢　　迎迎　　妮妮

2005年11月11日，2008年北京奥运会吉祥物确定为五个福娃。

火炬传递的过程，是传播奥运精神、扩大奥运影响的过程。2004年6月8日，众多群众在慕田峪长城迎接雅典奥运会火炬。

ào lín pǐ kè yùn dòng huì
奥林匹克运动会

shì jiè shàng guī mó zuì dà de tǐ yù shèng huì jiù shì ào lín pǐ kè yùn
世界上规模最大的体育盛会就是奥林匹克运
dòng huì wǒ men jiǎn chēng ào yùn huì ào yùn huì měi nián jǔ bàn cì
动会，我们简称奥运会。奥运会每4年举办1次。
cóng nián zhì nián yǐ jǔ bàn le jiè nián jiāng
从1896年至2004年，已举办了28届。2008年，将
zài wǒ guó shǒu dū běi jīng jǔ bàn dì jiè ào yùn huì gèng kuài gèng
在我国首都北京举办第29届奥运会。"更快、更
gāo gèng qiáng shì ào lín pǐ kè de gé yán
高、更强"是奥林匹克的格言。

běi jīng ào yùn huì
北京奥运会

2001年7月13日在莫斯科，国际奥委会确定北京为2008年夏季奥运会的举办城市。为举办一届高水平的奥运会，北京奥组委提出了"人文奥运、科技奥运、绿色奥运"的理念，确定了"同一个世界，同一个梦想"的奥运主题口号。

英语box

One world One dream.

问题basket

继北京之后，举办2012年夏季奥运会的是哪个城市？

北京奥运会会徽——"中国印·舞动的北京"，将书法、印章艺术地表现为一个向前奔跑的运动人形，再和五环徽有机地结合起来，蕴意深远。

kāi mù shì hé bì mù shì
开幕式和闭幕式

奥运会开幕式和闭幕式是每一届奥运会最为重要的、最受关注的仪式庆典。它集中展示了民族历史、文化和时代风貌。在开幕式和闭幕式上要进行大型文艺表演、运动员入场、升旗（降旗）、点燃火炬（熄灭火炬）等各项活动，还有主办国官员讲话，教练员、运动员宣誓等。

中国有407名运动员参加了2004年雅典奥运会。这是在开幕式上，中国代表团进入会场。

点燃火炬是开幕式的亮点，是民族智慧的亮点。希腊帆板选手卡拉马纳基斯点燃2004年雅典奥运会巨型火炬。

2004年雅典奥运会开幕式展示了希腊文化的壮丽辉煌，给全世界人民留下了美好的印象。

汉语拼音音序索引

中国大百科全书出版社

总编辑 徐惟诚

社　长 田胜立

《中国儿童百科全书·上学就看》
主要编辑出版人员

副总编辑　　王德有　　吴希曾

特约编审　　吴希曾　　贺晓兴

主任编辑　　程力华　　赵秀琴

责任编辑　　赵秀琴　　朱菱艳

文体馆

编　辑　　黄　颖　　汪迎冬

特约审稿　　韩之更　　程裕桢　　王祖望　　孙世洲
　　　　　　　贺晓兴　　郑　平　　温学诗　　徐晓钟
　　　　　　　林之光　　刘大澄　　崔金泰　　刘　杲
　　　　　　　李　元　　郭　耕　　马博华　　邓平祥
　　　　　　　李龙臣　　吴小枚　　章燕妮　　许丽君
　　　　　　　桂云鹏

特约美术编辑　曹映红　　张　强　　杨宝忠　　蒋和平
　　　　　　　高建强　　席恒青　　杨　晨　　陈　倩

索引编辑　　黄　颖
装帧设计　　曹映红　　张　强
责任印制　　徐继康　　乌　灵